WORDSEARCH
THE **BIG** ONE

WITH 300 PUZZLES

Harper Collins

HarperCollins*Publishers*
1 London Bridge Street
London SE1 9GF
www.harpercollins.co.uk

First published by HarperCollins*Publishers* in 2018

10 9 8 7 6 5 4 3 2 1

Copyright © 2018 HarperCollins*Publishers*

Puzzles by Clarity Media Ltd
Cover by Gareth Butterworth

Library of Congress Cataloging-in-Publication Data
available on request.

ISBN 978-0-00-829935-4

Printed and bound in China by RR Donnelley APS.

CONTENTS

HOW TO PLAY   4

THE PUZZLES   5

THE SOLUTIONS   308

HOW TO PLAY

The wordsearch is a simple puzzle of concentration and patience. The aim of the game is to find those words listed at the bottom of the page within the puzzle of letters. Circle each word as you find it and move on to the next.

THE PUZZLES

1 Beginning and Ending in "R"

```
A A Q R R O T A R E N U M E R
E A X G L E T A A O T Y K T O
P U D E I S D S E U P S E N A
I M F M W A R I C R R Z N S D
A H R U R E D I S N O C E R R
A X A R U I L D R C Q R A Z U
D Z N Q A O A A O I O T Z A N
B C G T T Z O P W V H V O R N
A K D T U N O S E E T U E E E
I R P V X R U R R U M Z R R
A W R R X W R R A O E U E L A
A Y E E E Y E U H M L F J T Z
L P E R L D V C B U E B P X V
B Z T A R U I E Y R B Y A W F
M A L R B P R R H P R A N U U
```

RADAR	REDISCOVER	RIVER
RARER	REFER	ROADRUNNER
RATHER	REMEMBER	ROVER
RAZOR	REMUNERATOR	ROWER
RECONSIDER	REPAIR	RULER
RECUR	RIDER	RUMOR

2 Breeds of Cattle

```
U U T G A S U G N A R B V S L
X K A B O N D A N C E O J V T
I O R N N L O P E N E S N B E
E I O A K S K A E A A U O R W
U R C G P O J U T D J S V H B
E A I E P E L Q I U T P E B E
J X H H L Y T E H T I J D R G
D E M O S A O I W S L A H O T
L B R F L R N E H A U O T W U
J L P S S Y D S W T M U N N
A T A R E N T A I S E U O S A
T X X D L Y J E T C N X S W T
F I R T N R T N I S U O M I L
S A B I G A R Y R N A K L S I
M R V P T T R S B Y W H L S O
```

ABIGAR	BROWN SWISS	SENEPOL
ABONDANCE	HOLSTEIN	SOUTH DEVON
ANKOLE-WATUSI	ICELANDIC	TARENTAISE
AYRSHIRE	JERSEY	TUDANCA
BRANGUS	LIMOUSIN	TULI
BRITISH WHITE	RANDALL	WHITE PARK

3 Keeping a Journal

```
I  P  N  A  S  B  W  L  Y  H  L  S  S  S  N
T  S  P  Y  S  L  P  I  I  I  L  E  M  L  M
S  Z  I  Z  L  X  O  Z  S  I  D  T  O  P  L
C  I  A  N  A  U  R  T  Q  H  S  O  O  C  Y
J  I  I  D  E  A  S  C  A  L  E  N  D  A  R
N  U  R  C  M  R  E  Y  U  G  I  S  S  T  S
O  T  Q  U  O  A  I  S  N  S  R  N  M  H  E
U  U  X  Y  H  S  R  I  A  J  O  S  A  A  C
Q  P  R  I  V  A  T  E  E  I  M  R  E  R  R
C  B  Y  A  E  I  N  H  T  E  E  Y  R  T  E
R  I  Q  F  R  U  E  O  G  F  M  R  D  I  T
Y  C  V  W  G  A  M  E  L  U  D  E  H  C  S
R  E  U  A  M  E  O  X  M  H  O  P  E  S  R
V  M  T  U  L  Q  X  S  I  E  V  H  A  P  T
J  P  W  P  X  X  F  D  P  A  R  N  T  V  D
```

CALENDAR	HOPES	PRIVATE
CATHARTIC	IDEAS	SCHEDULE
DREAMS	LISTS	SECRETS
EMOTIONS	MEMORIES	THOUGHTS
ENTRIES	MOODS	WISHES
FEARS	NOTES	WRITING

4 Correct

```
X T U V A S L Z P R K V E F Q
I I Y S T H G I R L S X E H W
E K G E N U I N E K A K K O U
I U P E N W E S I C E R P K H
L J W T E O I D T R T A M V S
I M Z A L R M V S M R M U A S
T R O R B D F E U P A E I E E
E X M U A P F R H A O H N X L
R Z I C I E A A O T Z T O U W
A R V C F R T C S R N N O O A
L T Q A I F U I R U R O T N L
V O B U R E M O W E F E Z D F
U Q S A E C A U T H E N T I C
A U F T V T S S E L T L U A F
X V X R B S X I F V S W T C S
```

ACCURATE	GENUINE	SPOT ON
AUTHENTIC	LITERAL	TRUE
ERROR-FREE	ON THE MARK	UNERRING
EXACT	ON THE MONEY	VERACIOUS
FAULTLESS	PRECISE	VERIFIABLE
FLAWLESS	RIGHT	WORD-PERFECT

5 Cleaning

```
T  L  I  D  A  R  L  V  Z  S  T  B  T  J  M
G  E  R  U  H  I  T  L  O  O  U  R  A  E  O
G  G  O  S  G  S  A  N  Q  P  O  U  J  L  A
Z  R  N  T  G  N  I  P  E  E  W  S  V  B  T
P  L  I  I  G  X  I  L  L  G  O  H  P  O  V
S  R  N  N  P  N  X  Y  O  K  R  F  C  W  X
L  I  G  G  S  P  I  R  R  P  H  E  U  G  E
S  E  W  R  S  E  O  L  H  D  T  S  T  R  I
I  S  V  A  C  U  U  M  C  L  E  A  N  E  R
H  S  G  B  R  G  H  R  A  Y  P  B  C  A  D
M  K  O  S  U  W  I  P  E  F  C  A  H  S  Q
I  S  O  W  B  F  R  B  L  B  S  E  O  E  R
G  N  T  O  A  D  F  T  B  N  S  A  R  O  F
Q  L  A  L  E  R  G  N  Y  X  E  E  E  H  E
C  C  L  I  E  Q  A  T  T  X  S  L  S  R  Y
```

BLEACH	DUSTING	RINSE
BRUSH	ELBOW GREASE	SCRUB
BUFF	IRONING	SWEEPING
CHORES	MOPPING	THROW OUT
DETERGENT	POLISH	VACUUM CLEANER
DRYING	RECYCLING	WIPE

6 Types of Bread

```
Q T P C O E S Q T G Z L B R Y
A L U T G T Z N C K Z R B B T
J S O U R D O U G H K T T Z C
P U T S O Y J B E S A I O P R
A I T O A Y E Z T I W L U P H
I Z T E L U O B D O A M L F J
K R N A S P X K R X P T O A I
O P A N E T T O N E T C P C H
F V S B A Y N T R Z A J S H A
R L S I B A N N O C K D L A C
J N I A B R I O C H E C B P B
L L O R V C C I A B A T T A T
U L R A K F A W K C R B G T P
I I C E T T E U G A B E T I A
A L L I T R O T N I L W A X U
```

BAGEL	CHALLAH	PITA
BAGUETTE	CHAPATI	PUMPERNICKEL
BANNOCK	CIABATTA	ROLL
BOULE	CROISSANT	RYE BREAD
BRIOCHE	FOCACCIA	SOURDOUGH
BUN	PANETTONE	TORTILLA

7 Tennis

```
K K R D O U B L E S D X A P A
F N O D E L B M I W N T L L A
O X P N N E L R P O A A E R Z
D N A H E R O F T D H M T O Q
V A U A T P R T V A K A R E U
E R R R S T O A R E C L P N S
I I N E S N N H N M A S I A J
S T U O I T O A C G B D S Q C
B E X M A F R P L N R N Y O U
J K L G P O I U M I E A U L S
L Q E G R I W L P H R R L O B
M V C R N L R S A S T G F L O
V U U P L I N E J U D G E R Y
P V E R O C S I A L Q H Y Z W
W A D D O U B L E F A U L T E
```

ADVANTAGE	FLUSHING MEADOWS	QUALIFIER
BACKHAND	FOREHAND	RALLY
COURT	FRENCH OPEN	SCORE
DEUCE	GRAND SLAM	SINGLES
DOUBLE FAULT	LINE JUDGE	UMPIRE
DOUBLES	NETS	WIMBLEDON

8 Actress Gwyneth Paltrow

```
R P S O P B S A Y P P K F V P
Y U S H O U T R E M E S M N J
S X I U B U L O L K P T S E Z
L D R E O X W S L B P H S U H
U A S Y U M J E I S E E X E P
E D E V N M A J U Z R A R S L
T M I K C C X F Q M P V Y A E
S Y O Z E H H A N R O E Z V K
R O W R D I S X E I T N V V P
H A F Z T U A S L R T G A S T
V I O L A D E L E S S E P S A
J V O E E O E T H R Y R D A G
Z L R S M B L C S Y T S P T T
E Y P T M I G M A L I C E Y N
G S S N A M N O R I E R A Z T
```

ACTRESS	HOOK	PEPPER POTTS
BOUNCE	HUSH	PROOF
DUETS	INFAMOUS	SHOUT
EMMA	IRON MAN	SYLVIA
GLEE	MALICE	THE AVENGERS
HELEN QUILLEY	MORTDECAI	VIOLA DE LESSEPS

9 Jack Nicholson Movies

```
R D C S E E L B U O R T N A M
I E A G Y G N I N I H S E H T
H E D K M L D O R E D S A L U
F W S R M A R E D R T L A K B
A N T A O G J E L T H R A O O
U O O A T B P R H P T A D F W
J R S E A A E E T O E A A O M
X I A T R R F H L Z F H L J Q
A W M T H O A L T R T F T Y L
L A E K R Y R L X B O K A V G
N D R T R E D I R Y S A E C K
R H U E I Z L T U O H C Y S P
A N X G O I N S O U T H I D T
E S D U S M E M I T G A R Y O
E G T O O C H I N A T O W N E
```

BATMAN	IRONWEED	THE DEPARTED
CHINATOWN	MAN TROUBLE	THE FORTUNE
EASY RIDER	PSYCH-OUT	THE PLEDGE
GOIN' SOUTH	RAGTIME	THE SHINING
HOFFA	REDS	TOMMY
I'M STILL HERE	THE BORDER	WOLF

10 Hummingbirds

```
W A P B U F F Y R L E U B B A
S S A I L I Z A M A E L A I X
G L C L V A S O V N A V C W B
R U W N I I C O D C B U N Z R
P F O O M T L K K G L V I S O
T I N M S C T B I C U W Y D A
V T S A A A E L G N E C Z C S
A U J N O L N W E U C Z N V I
S A O N L T B N R H H A O W S
E E T I H W D N A N E E R G E
T B E C O P A P P K S R B I B
J D E D E L G I A N T Y M I M
O E F Z A P O T Y R E I F I U
B P S E L B A R I M D A R G T
G R E O B L U I S M K A R H R
```

ADMIRABLE	BLUE-CHESTED	GREEN-AND-WHITE
AMAZILIA	BRONZY INCA	LITTLE HERMIT
ANNA'S	BUFFY	OASIS
BEAUTIFUL	CINNAMON	SNOWCAP
BLACK INCA	FIERY TOPAZ	TUMBES
BLACK-BELLIED	GIANT	VOLCANO

11 Puzzles

```
F M I D S E E I K F L A E M E
R T J A R C R O S S W O R D U
T U I O W A R R O W W O R D M
A T B N V O R Y S O D N K F D
S M D I M A R Y P D R O W B R
I U Z M K W C D A T I U A U O
E S T O C S J R S E O L K L A
I L N L S O C Y O Q J G E A T
J S Y L W U D U I S U T R T K
N U R I K A B E B D T A O A D
A D R F T I S E W E N I R A M
H O T O M G E G R O Z L C E E
Y K S A A O P F I E R A S J I
F U T O S H I K I J O D M V D
Y S T Z L T B I T Z L A T V G
```

ACROSTIC	FUTOSHIKI	NURIKABE
ARROW WORD	HANJIE	REBUS
CODEWORD	JIGSAW	RUBIK'S CUBE
CROSSWORD	KAKURO	SUDOKU
CRYPTOGRAM	LETTER FIT	WORD PYRAMID
FILLOMINO	MAZE	WORD SQUARE

12 Coffee Drinks

```
I G E A T B M T T Y T I E I E
C A N T O C C I N O U B X Q G
E A M Q Q N M R T C R H W A V
D H F E J U S A A K K W P L E
C C F E R T B P C I I P S A S
O O G T A I P T U C S O Y T P
F M T S L U C O P T H C S T R
F K A V C F L A T W H I T E E
E J F C L R I A N A U L A F S
E H I O Y A R R I O G L T T S
Y N Y R I S T R E T T O R Y O
O R E T L I F A C E D A F O X
T U R A N N E I V T W H M F F
T K P D T E P I O A L S R R A
I H L O B Z A O V A M A T E O
```

AFFOGATO	DECAF	MACCHIATO
AMERICANO	ESPRESSO	MOCHA
ANTOCCINO	FILTER	POCILLO
CAFE AU LAIT	FLAT WHITE	RISTRETTO
CAPPUCCINO	ICED COFFEE	TURKISH
CORTADO	LATTE	VIENNA

13 Numbered Objects

```
S  X  W  P  R  O  T  R  A  C  T  O  R  A  E
R  O  L  T  H  E  R  M  O  S  T  A  T  U  N
Q  B  M  A  N  U  T  Z  O  S  L  U  S  S  O
E  C  I  D  N  W  S  E  R  T  J  S  T  L  H
S  T  C  N  Q  R  O  H  M  P  H  A  A  T  P
T  E  R  U  G  D  U  R  F  O  M  B  P  B  L
E  K  O  E  L  O  J  O  C  P  D  E  E  R  L
L  C  W  S  G  S  B  T  J  W  Q  E  M  F  E
I  I  A  V  L  D  R  A  C  T  I  D  E  R  C
W  T  V  L  W  T  M  L  L  W  A  K  A  P  S
P  F  E  A  E  P  R  U  S  L  Y  C  S  R  S
Q  P  E  J  A  N  I  C  I  L  Q  O  U  Q  Z
O  T  J  E  J  T  D  L  D  K  B  L  R  T  G
H  C  K  E  Y  B  O  A  R  D  K  C  E  H  C
P  Z  A  T  T  U  S  C  R  E  L  U  R  V  A
```

BINGO BALL	CREDIT CARD	RULER
CALCULATOR	DICE	SPEEDOMETER
CALENDAR	JOURNAL	STAMP
CELL PHONE	KEYBOARD	TAPE MEASURE
CHECK	MICROWAVE	THERMOSTAT
CLOCK	PROTRACTOR	TICKET

14 US States

```
P W H V E F R Y C C E Z U A L
F R L S O L L A D A V E N M U
I A A A L S L O L T L T W I E
J K D E L A W A R E H L M G S
T S Z N B S I O N I L L I Z L
N A A A A N R U L O D C N U H
O L M R I L F V M O O A N T R
M A Y G K H Y K C U T N E K S
R W R S R A O R E G O N S Z L
E I Z L U T N V A K P B O C W
V E V R U U R S W M I X T M T
D U T A D O K L A H O M A D A
O S E O F B J L C S E I W K L
U V V W L M S A I O N E O G R
V R X A S Y S A X E T O I M U
```

ALABAMA	IOWA	OKLAHOMA
ALASKA	KENTUCKY	OREGON
ARKANSAS	MAINE	TEXAS
DELAWARE	MARYLAND	UTAH
FLORIDA	MINNESOTA	VERMONT
ILLINOIS	NEVADA	VIRGINIA

15 Causes of Stress

```
P N N E R D L I H C Q Q N U T
O P B A E X A M S H L B A I S
T S E T G N I V I R D S M R A
T S I T N E D U E O I O G Z P
S X N O A E T Z S N V Z S T O
Y I G Q D U M C T I O T Y S B
H R L N R A A Y N C R O C A R
L D A J I A H G O I C R N R E
R E T L L K H Y T L E E A G A
R B E S G O C R E L P E N U K
W R P X U R F A O N W M G M I
H C S S T U Z P E O L E E N
A I E E R F I B F S R M R N G
I N T E R V I E W S K D P T U
A P E P J T W U I B U U C S P
```

ARGUMENTS	DANGER	MONEY
BEING LATE	DENTIST	MOVING HOUSE
BREAKING UP	DIVORCE	PACKING
BURGLARY	DRIVING TEST	PREGNANCY
CHILDREN	EXAMS	UNEMPLOYMENT
CHRONIC ILLNESS	INTERVIEWS	WORK

16 Fonts

```
O E T Q X S L Y Y J S K C I Y
N O C I X E L S I O A O T T B
A R I A L R E I R U O C J A P
A W Q O F C I H T O G T F C P
T X O R C R C P L T A O N N O
V E R D A N A M Z H O S Q T T
T C O O S N A E O T R P Y W X
A Y M R L L T M L A N S E C L
M I S I O I A I K C T O N I K
I M P C N K G V Q O F L S R U
T P N O T H Y L E U O A L S L
P A W S T U S Z T N A B Y H P
O C N X K U F U O E E R L H S
E T J K Q P R T A C M G S U U
A N C S A A O R W U P R Y S E
```

ANTIQUA	DORIC	LEXICON
ARIAL	FOOTLIGHT	MEMPHIS
BOOKMAN	FUTURA	OPTIMA
CASLON	GENEVA	TAHOMA
CLEARFACE	GOTHIC	UTOPIA
COURIER	IMPACT	VERDANA

17 Small Dogs

```
U V T Q M E T S Z I B E I R I
P D R S Q P L O H R I G R O C
A N P J J N R D Y I C T A E H
P U X A A I A Q W P H U T F H
I H A P S C S I D U O T I N A
L S U A E A K P N H N O Z S V
L H H N J K U R R A F H D U A
O C A E E G I S U W R J D L N
N A U S S L U N A S I E Z E E
A D H E A E G A G G S K M R S
G F I C P A T A Z E E E J O E
R S H H X U P L E A S D L R P
P G C I J N E S A B B B E O L B
E E N N G S O S O M V Y S G Q
L U O A T G T T M Z G Y Y A B
```

BASENJI	HAVANESE	PEKINGESE
BEAGLE	JACK RUSSELL	POMERANIAN
BICHON FRISE	JAPANESE CHIN	PUG
CHIHUAHUA	LHASA APSO	SAUSAGE DOG
CORGI	MALTESE	SHIH TZU
DACHSHUND	PAPILLON	TOY POODLE

18 Brazil

```
Q D K I P A S I U L O A S G F
C U U N C N E L S Z R I S O V
U J C A T O O D X U L H R U R
R B O I B A N R C O A T T E E
C H F A Q I F T P R A J X S C
L A S P O R T O A L E G R E C
R P I A N P N I E G C V O U O
V K Y P N A E Z R A E B D G S
P L S S I T A S M U R M A U C
M J O R O R O P S A C A V T I
A A O R E W I A S O A N L R P
I L C C N N J N N M A A A O M
F R I E A P T R H D S U S P Y
E F E S I Z P Y Z A R S Q W L
E H I R I O D E J A N E I R O
```

CAIPIRINHA	JOAO PESSOA	RECIFE
CAMPINAS	MACEIO	RIO DE JANEIRO
CONTAGEM	MANAUS	SALVADOR
CURITIBA	OLYMPICS	SANTO ANDRE
FLORIANOPOLIS	PORTO ALEGRE	SAO LUIS
FORTALEZA	PORTUGUESE	SOCCER

23

19 Vitamins and Minerals

```
V R S A B Z V F B U W M I Q P
N Z S S A G E L L D T O H E H
L T U O S I P W B N D E R Z E
S C O P P E R M U I C L A C I
S E M M X P L O N M O P G Y S
W E U U Y E E G A N T K T P
S X I I N R T L N T V O I A C
M A M S V I T A M I N E R N A
O Z O E L D C T T V U E E I I
R C R N B O V A Z S K M O M O
K N H G S X M E I T Y J K A A
D I C A C I L O F N G W R T R
O Z A M N N I V A L F O B I R
W S Z C W E N I M A I H T V E
O P I U A R E L L U V C A T Y
```

BIOTIN	IRON	THIAMINE
CALCIUM	MAGNESIUM	VITAMIN A
CHROMIUM	NIACIN	VITAMIN C
COPPER	PYRIDOXINE	VITAMIN D
FOLIC ACID	RIBOFLAVIN	VITAMIN E
IODINE	SELENIUM	ZINC

20 Skiing

```
A R H R R C J P S I L A K S K
R M X P P G V K B T F X O Z L
X O O A O L A T S N O W T A W
S N T G T Y E L D A T I R O J
D L S K U R A P P C R T S E O
Z S E R R L O P O I R R S H D
C G P A O W P R R L N I P O S
I N R M D U N E A P S E V A V
D I C E N I S S C M T O C S U
R D R L C O A E A I M H U E U
O N R E R P W E M F A P L K A
N I A T N U O M B L Q R T Y N
O B O O T S U P E X D I S Y G
O S H O E S H T R Q W S F W C
F J S Q R A P U P K H Y R S T
```

ALPINE	CORNICE	SHOES
BINDINGS	MOGUL	SLALOM
BOOTS	MOUNTAIN	SLOPE
CAMBER	NORDIC	SNOW
CANT	POWDER	SUMMIT
CHALET	RESORT	TELEMARK

21 Muscles

```
Y  T  H  C  T  N  S  I  E  F  N  A  A  U  C
I  R  I  O  A  A  F  G  P  O  R  V  N  T  W
I  O  A  E  E  S  A  R  T  O  R  I  U  S  M
L  T  S  I  W  A  T  R  O  T  A  V  E  L  E
K  A  B  S  L  L  K  A  E  N  G  A  C  Q  N
R  N  B  Y  N  I  C  F  P  T  T  G  U  I  T
D  I  R  R  C  S  C  Y  W  E  E  A  H  E  A
G  P  T  R  H  O  M  B  O  I  D  S  L  O  L
N  U  S  U  I  Z  E  P  A  R  T  I  S  I  I
L  S  U  B  C  L  A  V  I  U  S  R  U  A  S
S  O  R  R  E  C  O  C  C  Y  G  E  U  S  M
S  M  A  G  S  P  E  C  I  B  G  W  J  J  E
M  G  A  R  H  P  A  I  D  I  O  T  L  E  D
I  I  I  R  S  P  E  C  I  R  T  R  D  Z  L
O  S  R  J  I  P  C  K  T  P  A  G  L  N  L
```

BICEPS	LEVATOR	SARTORIUS
CILIARY	MASSETER	STAPEDIUS
COCCYGEUS	MENTALIS	SUBCLAVIUS
DELTOID	NASALIS	SUPINATOR
DIAPHRAGM	QUADRICEPS	TRAPEZIUS
FRONTALIS	RHOMBOIDS	TRICEPS

22 Words Beginning with "I"

```
Q Y J W Y O T L C E B J F W S
E A G A R U S C N I L U S N I
L B T L A O S M F S N D H E N
C L G R R N T T N S O J I I C
I L L N E S S C Q U I P I H I
C S Q E N S I A U E T L H T T
I E B E I G N N D R A O A Y E
I N N A T E F I T N T L W T D
K J P J I N E F O E I S W T V
A T C C E R C I T A R R N Y I
M E I C R T T N A R V Z I U
T I N S F A I V D S I K A A N
B R O E R L O L K V I R Z L C
F P R R O K U B B J Y D P S S
L T I I S O S C E L E S E T K
```

ICICLE	INSERT	IRRATIONAL
IDLE	INSIDE	IRRITATION
ILLNESS	INSTRUCTOR	ISOSCELES
INCITED	INSULIN	ISSUE
INFECTIOUS	INTERVAL	ITALIAN
INNATE	IRONIC	ITINERARY

23 Names Beginning with "Z"

```
Z K O T P X T R K N A T L O Z
Y W R E I Y R L D P R N R O C
F O I R P N Z Q N E A Y I Q D
R S O R R Z W U R K Z A U Z O
X A U I S Z Q A B Z A Z I A K
A T P O U X R Q T I L Z Z D N
E F W O T K Y O R G N O R L O
L M E R S O P F L G N N E E I
P M A S Z D T A U Y Z A E Z R
J I Z K A A X U Z U A D H Z V
V T B A P Z D B A V E U A Z Y
I O M S C Q F I N B K R Z Z F
E K F I J K E L E Z E M P X T
Y C T E E C F Z O D B P B L K
N F R W T K T L Z Z I E C E Y
```

ZACK	ZARED	ZIGGY
ZADIE	ZAYN	ZINA
ZADOK	ZEBEDEE	ZOE
ZAHEER	ZELDA	ZOLTAN
ZANE	ZELEK	ZONA
ZARA	ZHANG	ZUBIN

24 Sports

```
G G N I M M I W S O X K Y X A
D G N I C A R E S R O H Y G R
N Y B I L A M G P A G F E G R
W M N O D L I G N R D W K L A
B N P P W R A J V I P M C C B
A A H V L L A B Y E L L O V L
D S S Q F E I O D P O C H H C
M T A K K I Y N B N W J Y P E
I I U H E Q U O G E A M I C J
N C Q L M T L I R N T H P I R
T S S N E A B C W L I A I V U
O X H N E T B A L L B V K A G
N G N I W O R F L O G S I S D
R I T I B S A I F L R O S D W
S K I I N G L E U K A D J E V
```

BADMINTON	GYMNASTICS	SKATEBOARDING
BASKETBALL	HANDBALL	SKIING
BOWLING	HOCKEY	SQUASH
CYCLING	HORSE RACING	SWIMMING
DIVING	NETBALL	TENNIS
GOLF	ROWING	VOLLEYBALL

25 A Walk in the Countryside

```
U S F A O I H R J R M Z S L T
P C L T R O M K L A R U R U I
M X L V S E R S F L O W E R S
P D R I A H S E R F A H M A D
A M U D M L L R L H C U O M L
R C O V A B L C O A R I T B E
K W F K U K I E N O X C E L I
S Y E A E N H N Y A D I N I F
E S S R C K V L G S T T N N V
J H B I S X C L T J H U U G S
E N P T S L T B O T S E R O F
S E Z P T P C I M E W K X E L
T D H Y S X M N U J S I L N F
Z F I U S S O A S A Q R P U T
P A F W I A I U A R A S R S O
```

CLIMBING	LAKES	PICNIC
FIELDS	MEADOWS	RAMBLING
FLOWERS	MUD	RELAXING
FOREST	NATURE	REMOTE
FRESH AIR	OUTDOORS	RURAL
HILLS	PARKS	VALLEYS

26 Magicians

```
I M J A M E S R A N D I P A M
I J E F F M C B R I D E D A G
H D X P Z I O L L O N A C J F
R A M S T C U S U N V K T A R
C I N R I H I G J I I E F N I
R V R S M A H I D N L W W L C
I E U T K E L B G L H O R P K
S R O X N L L N E E R B A K Y
S N S N E A O R E B A L E O J
A O I T I M S K N G I A T O A
N N T N R M K E T M J U A H Y
G E E R H A R R Y K E L L A R
E H O W A R D T H U R S T O N
L A N C E B U R T O N R S N F
P B Z D S M A R K W I L S O N
```

CRISS ANGEL	HARRY KELLAR	MAC KING
DAI VERNON	HOWARD THURSTON	MARK WILSON
DAVID BLAINE	JAMES RANDI	MICHAEL AMMAR
DERREN BROWN	JEFF MCBRIDE	PENN JILLETTE
DOUG HENNING	JOE LABERO	RICKY JAY
HANS KLOK	LANCE BURTON	TELLER

27 Greece

```
S M R G S R O O T A L P A U H
R O S E D A L C Y C O R F U T
E U E L A S E T A R C O S K I
F S A S G R Q W O O R U E T R
S S E P H R S S P P E L W J P
A A G N O C E L T O T S I R A
T K E A A E A E C L E A I T R
P A A U T C U E K I S C R S T
D S N O R H E R B S P E U F H
S W S W O X E D O S A C N P E
T Y E E S E N N O P O L E P N
I K A L V U O S S D E T A P O
R J U H R L P S E D O H R D N
S J J K L Z A K U S G C A Y E
A R A U C J R P W G T S K F M
```

ACROPOLIS   CYCLADES   PARTHENON

AEGEAN SEA   DODECANESE   PELOPONNESE

ARISTOTLE   EUROPE   PLATO

ATHENS   GREEK SALAD   RHODES

CORFU   MOUSSAKA   SOCRATES

CRETE   MYRTOS BEACH   SOUVLAKI

32

28 Go...

```
T B O B T I J V H M I J G N A
S D B S J E E M O H A P A D L
P Z R E R M I O D J R J F R S
A A F C Y S U F E P Q A B E E
E O Y E S O T G L S X L R U J
R R P I K H N A T A A E J N D
J G N P R O C D E N I P A S H
D G Q O V E R U K O B U A O E
S R U T S R D B I U A B C I Y
Q G A I H E L C R I C L L U F
H T H W M H F L T O K I A P Y
N F E E R W I U S A F C D S Q
J R A L A O M T N K D L Y A I
T S D W S N F S O U T H E T Q
Y A I R P D V K E R G O H R B
```

AHEAD	FORWARD	OVER
BACK	FULL CIRCLE	PLACES
BEYOND	HOME	PUBLIC
BLANK	MISSING	SOUTH
EASY	NOWHERE	THROUGH
FOR BROKE	ON STRIKE	TO PIECES

29 Items in a Purse

```
D A F Y Z N S D A R J T G R O
J L S R C S N E P G N I Q G X
F U V A O D I T I O D Z P H I
N K S Z C K O C D L Y U A L E
E H E W A O C E L R P N P R I
R H W Y O I N I C I D A E V C
K S I L S H A C T G R T R S E
S U N G L A S S E S B T K S Y
W R G L I I Z L M A P H A P W
P B K R O R R I M A L I I J V
M R I N O T E B O O K E L E K
S I T S L I C N E P R E R W T
G A P H N E M U F R E P U E D
L H S E U S S I T S A H W P T
K D U G A W M V Y L S T U R S
```

CASH   KEYS   PENCIL

COINS   LIPSTICK   PENS

CONCEALER   MAKEUP   PERFUME

HAIR TIES   MIRROR   SEWING KIT

HAIRBRUSH   NOTEBOOK   SUNGLASSES

HAND GEL   PAPER   TISSUES

30 Currencies Past and Present

```
H H R T S T K K A S J A F H M
W S H A R T R H E B U S E T W
R K U N A O E A D F Y U I A M
V K W A N Z A A L O R E X U T
M V J A I L U F L O R I N O P
I L V S D T S G T R O L Q E G
S E D K I R T H E P S Q S L R
J Q I M R A R A V I L O B R S
N G P U K E A N U R O K S L D
U N O O G E L I A S U D A Q R
O S A Z U C L E U T Y P Y S C
N I D I P N O U W I T U E I Y
T N R P O A D L I K P A Z E A
E R R Y S R Y W N P E Y K S S
N V H I M F J G A W K Q M I Z
```

AFGHANI	EURO	KWANZA
AUSTRAL	FLORIN	LEK
BOLIVAR	FRANC	PESO
DINAR	KORUNA	POUND
DOLLAR	KRONA	RUPEE
EKWELE	KUNA	YEN

31 Groups of Birds

```
I  M  K  P  R  T  O  Y  I  M  K  Y  S  R  P
K  G  A  P  Q  C  L  Y  N  R  R  V  Y  G  V
X  O  N  O  I  T  A  T  L  A  X  E  N  R  T
T  I  V  I  N  I  X  U  F  R  P  B  O  O  Y
N  Z  L  M  R  I  C  T  L  E  L  M  L  P  U
O  P  R  T  P  E  E  F  T  D  L  W  O  F  O
I  J  A  A  R  T  K  N  R  R  G  C  C  S
T  D  O  R  B  U  T  S  U  U  O  G  M  E
A  D  D  T  L  A  F  U  A  M  W  A  N  A  D
T  W  E  N  I  Y  S  I  T  H  G  I  L  F  G
N  O  I  T  A  C  O  V  N  O  C  R  O  L  E
E  A  L  A  M  B  V  O  C  J  F  R  U  B  E
T  E  S  S  E  R  G  N  O  C  T  G  N  P  L
S  P  L  E  N  H  H  Q  O  H  Q  Q  A  N  Y
O  G  X  I  T  C  T  S  A  Q  Z  A  S  P  P
```

BAND	COMPANY	MURDER
BEVY	CONGRESS	OSTENTATION
BROOD	CONVOCATION	PARLIAMENT
CAULDRON	EXALTATION	RAFTER
CHATTERING	FLIGHT	SEDGE
COLONY	GAGGLE	SKEIN

32 London Attractions

```
Y S S T P A U L S A T T Q O C
Y R A R B I L H S I T I R B U
M U E S U M H S I T I R B P T
A A H L O N D O N E Y E C T T
Y R E L L A G I H C T A A S Y
S T E K R A M N E D M A C Q S
P I P K B I G B E N L C P A A
D A S T S A F L E B S M H U R
R O G O K E W G A R D E N S K
A L O N D O N D U N G E O N A
H U T O W E R O F L O N D O N
S M U E S U M E C N E I C S O
E M E G D I R B R E W O T R F
H R Y M L N R E D O M E T A T
T V E S U O H S N E E U Q P N
```

BIG BEN	KEW GARDENS	SCIENCE MUSEUM
BRITISH LIBRARY	LONDON DUNGEON	ST PAUL'S
BRITISH MUSEUM	LONDON EYE	TATE MODERN
CAMDEN MARKET	NATIONAL GALLERY	THE SHARD
CUTTY SARK	QUEEN'S HOUSE	TOWER BRIDGE
HMS BELFAST	SAATCHI GALLERY	TOWER OF LONDON

33 Traveling Underground

```
H O I C S M S O R B X E T K A
U S U T U G S B L T D I L I V
T B R T O L E F T U O U G A E
X L A F O R R E P L O K L B F
Q H G N O K G N O H S E A M P
S R P N E W Y O R K N Z S U O
N E P T A W L O B C C O G M P
L I U S L A C N I S V N O I P
O Y T I C A M A N A P R W A A
O P P R H D R V S P M I O M L
O J Z A I W I E A T I A C I M
U O J P C O F R T S L I S F W
T T K S A B W E D I A E O R C
K F O R G R Q Y T A N R M V Z
M A F N O D N O L N M C L T U
```

CHICAGO	MILAN	PANAMA CITY
GLASGOW	MOSCOW	PARIS
HONG KONG	MUMBAI	SEOUL
LONDON	NEW YORK	TOKYO
MADRID	NEWCASTLE	VALENCIA
MIAMI	OSLO	YEREVAN

34 Photographic Equipment

```
O T R V S M A C R O L E N S C
L L E D S N E L E Y E H S I F
P R T M C S I S T O U R R J L
P I E D D A S N E L M O O Z K
P V M T R I M L M O Y L T T O
S R T H L A F E E L P S C P X
Q R H Z S I C F R W M J E V Q
W R G E G A F D U A H R L P X
A P I P Z Y L W S S S D F V R
D E L X O B T F O S E T E L Q
E D T R I P O D P B E R R T U
N M O N O P O D X W N Q X A S
U C P E H A R N E S S I S T P
V O S C A B L E R E L E A S E
I A T Z T P O L A R I Z E R T
```

CABLE RELEASE	HARNESS	REFLECTOR
CAMERA STRAP	LIGHT METER	SD CARD
DIFFUSER	MACRO LENS	SOFT BOX
EXPOSURE METER	MONOPOD	SPOTLIGHT
FISHEYE LENS	POLARIZER	TRIPOD
FLASH	RAINBOW FILTER	ZOOM LENS

35 Onomatopoeia

```
S N N U P R U U A C C M P L J
S C R R P U O I W B L T S S N
I R K K E E R U A U N N R T S
U R Q F V G G T O R Y M L V H
O R D R P U I Z R I E H E N U
U W T G U U V Z P Z H T T A U
E M I E R K N I O S G M E I R
T L D G W O O F E S I V V C K
C R U N C H W R P A A U B U I
L I H A K R R L O S H P S L A
I W T B B X A W H I Z Z T R R
C P S P I S O C S Z X H G E P
K F P H H K R S K Z O X S E M
Y Z Y R S M U A C L A P R L X
A X T Q U R P O P E E B T E A
```

BANG	FIZZ	ROAR
BEEP	GROWL	SIZZLE
CLAP	HISS	SPLASH
CLICK	MIAOW	THUD
CRACKLE	OINK	WHIZZ
CRUNCH	POP	WOOF

36 Moons of Jupiter

```
L E H B P Z R S X B I Z T Q A
E D S U I R P S K K A L R I R
M E D A L E K U E O N O S I S
C M K S E T J R I H O U X U R
I Y B N T B L Y S I T H E A T
M N L E A A E T O M S E G Z S
Y A H L I N E H H A I R T L U
I G L X E M A L T L L S T P V
G T H Y O N E H R I L E C P P
K P R B A D E E O A A R A L L
I R I R A M M U H T C G J B L
R L V W I C N S R C A G B I T
A U U S O S B Q I O R L S Z W
A I T N E Y H J U V P A U T U
T O I L Q D E L U Q O A Q W I
```

AITNE   EUKELADE   LEDA

ANANKE   EUROPA   LYSITHEA

ARCHE   GANYMEDE   ORTHOSIE

CALLISTO   HERSE   THEBE

CARPO   HIMALIA   THEMISTO

CYLLENE   ISONOE   THYONE

37 Meat

```
A U V M S R H T B I N O R B P
G D E T U L P S Q Q P U Z B D
A H E A R T E S R P T H E R O
C W H R Y T T O T R A E S F B
P E H A R E Y O O S A X C A P
T O P Y A P K X N X Y O N V C
J G A K R H S R G O A T O C H
D L L K H W Q F U S B P S N I
S L J U L W A E E T D I I R C
T K A L R R N O O R A G N A K
W P C D S Y E N D I K E E B E
P G F S L A E V A C C O V B N
A P M R R X K A I H U N R I O
S S A F T R N R A L D L L T A
T N R J B A E B C Q I T V A K
```

CHICKEN	KIDNEYS	STEAK
DUCK	LIVER	STEW
GOAT	MUTTON	TONGUE
HARE	OSTRICH	TURKEY
HEART	PIGEON	VEAL
KANGAROO	RABBIT	VENISON

38 Sushi

```
S I M S U I T B G O A E J R T
O L L H I R A M A S A G O P S
A G N S H N L W P T O F A J L
T Y U O J A A L A B U P J R O
X U I S O Z T R M G Z Y P M O
X S Z U A L U A I B N F R A Y
T A E U Q K D Y H Z B E R T A
S S R S G G E L I A U Q R E L
I H C A P N A K T A T S R G T
V I I M O R I H S G A A H A A
I K N I K I J A K S R N L I Y
U S U J X G I U B M O K G K P
U F U I A G A R I A T I P A D
D O T N A A Q X O A Q M N S X
N V V O U R Y P O N C O H I E
```

ANKIMO	ISAKI	MATEGAI
ENGAWA	KAJIKI	NIJIMASU
GYUSASHI	KANPACHI	NORI
HATAHATA	KASUGO	QUAIL EGGS
HIRAMASA	KOMBU	SHIROMI
INARIZUSHI	MASAGO	TAIRAGAI

39 Farm Equipment

```
E  Q  P  L  O  W  R  P  A  I  E  H  D  F  L
E  H  N  U  R  O  E  F  S  S  N  S  A  Z  E
V  R  L  P  E  R  D  L  E  H  T  Y  C  S  T
S  X  A  I  H  R  A  A  K  M  T  U  B  R  S
T  T  A  K  S  A  E  I  L  C  L  P  A  B  C
P  R  S  I  E  H  R  L  K  T  I  C  Z  R  R
Q  P  B  C  R  I  P  V  I  B  T  S  L  E  S
K  C  F  R  H  D  S  V  E  O  R  V  R  Y  H
T  T  R  I  T  L  A  T  R  S  S  L  X  A  V
M  R  E  N  O  T  S  E  D  T  T  B  R  R  E
I  A  P  R  O  T  A  T  O  R  S  E  U  P  L
N  I  A  R  E  L  L  U  H  E  C  I  R  S  G
X  L  E  S  L  J  L  L  C  F  T  O  I  F  M
C  E  R  J  T  A  T  P  C  A  A  S  V  A  L
S  R  C  P  R  T  I  B  B  K  A  G  T  L  A
```

CULTIVATOR	RAKE	SPRAYER
DESTONER	REAPER	SPREADER
FLAIL	RICE HULLER	SUBSOILER
HARROW	ROTATOR	THRESHER
HARVESTER	SCYTHE	TRACTOR
PLOW	SICKLE	TRAILER

40 Geese

```
P O N L U U F T G A O L O S M
Y D N A M R O N W V L H H G S
F A Q A U P C B I N A V N P M
N U Q R I H U S C A N I A E R
E R V Y I T A M N M D O U W L
D U O N H F P E I O I N E R L
B S E M R U S Y M R S R L R U
M S S I A E H G G D G W O E E
E I C F O N E B P E M L A X E
K A P R N L T O L T W I I L L
N N A U G A L U D F U A E P X
G F D R H O A R F U U R P V R
F I A R U S N B I T A B D F W
R O N M S E D O H C E Z C S A
T I S O E D M N A Y X D T A F
```

AFRICAN   EMBDEN   PILGRIM

AONGHUS   FAROESE   ROMAN TUFTED

BOURBON   LAWSON   RUSSIAN

CHINESE   NORMANDY   SCANIA

CZECH   OLAND   SHETLAND

EGYPTIAN   PADANS   TUFTED ROMAN

41 Nobel Physics Prize Laureates

```
V  W  E  C  R  M  V  C  L  P  O  B  S  A  R
J  G  C  S  R  I  V  W  V  B  N  B  L  S  E
T  L  S  I  S  E  E  A  R  G  J  T  S  A  S
V  L  Z  X  X  G  A  S  O  L  A  O  J  E  R
R  H  T  D  I  M  H  C  S  E  S  S  D  T  T
U  O  I  H  S  A  Y  A  B  O  K  R  N  H  K
K  T  L  T  Z  E  O  S  S  O  P  S  G  O  I
X  L  R  E  T  T  U  M  L  R  E  P  I  R  M
G  R  E  B  N  I  E  W  I  N  E  L  A  N  D
O  P  T  G  A  E  A  N  I  P  K  R  C  E  S
T  X  S  L  G  A  T  E  A  S  K  R  C  R  P
Y  B  O  Y  L  E  R  O  O  D  G  A  O  J  M
T  B  K  U  O  A  T  F  O  C  L  G  N  H  T
A  M  B  S  R  E  H  T  A  M  U  A  I  R  E
I  R  S  D  L  E  A  P  U  Q  S  Q  H  H  R
```

BOYLE	KOBAYASHI	RIESS
GEIM	KOSTERLITZ	SCHMIDT
GIACCONI	LEGGETT	SMOOT
HALDANE	MATHER	THORNE
HALL	PERLMUTTER	WEINBERG
HIGGS	REINES	WINELAND

42 Justin Bieber Songs

```
O N E L O V E E Y Q R H T O N
V P O C Z I S H R T U L F Z J
E G D O N S L R R T B O L N D
R U N A W A Y L O V E V E A P
B M E J Y F D A S P R E S E T
O A I L S H J T D H N M R M A
A M R S Y I M B S I O E U U K
R H F U T E M E R P W O O E
D V Y C W L Q M G E I T Y Y Y
R P O A I R E O V I Q F E O O
J H B E P E Y T D C C T V D U
C D V Y N A P M O C V N O T U
L E L I M S U B I E E L L A F
L D E A C T B E A L R I G H T
R R I I E X C U U W P F G W A
```

BE ALRIGHT	FIRST DANCE	OVERBOARD
BELIEVE	I'LL SHOW YOU	RUNAWAY LOVE
BOYFRIEND	LOVE ME	SORRY
COMPANY	LOVE YOURSELF	TAKE YOU
EENIE MEENIE	MISTLETOE	U SMILE
FALL	ONE LOVE	WHAT DO YOU MEAN?

43 Music Stars

```
E S K N I P S F Z T R R I E M
R M Y I D A K V V F O I W N E
E A L Y R S D T L P T P A F N
B R I T N E Y S P E A R S W I
E I E A I L I M I D V O Z V M
I A M Y C E R O T K O A O M E
B H I L K D Y A B L L B T D L
N C N O I A K A U I I T S D T
I A O R M Y T A L L M H L A O
T R G S I S W Y L P E D Z A N
S E U W N M N Y P E D M U S J
U Y E I A A J O R E A L N A O
J H Z F J O P A G U R A O E H
B A J T E A N N A H I R T C N
S Y G L A D Y G A G A S Y B U
```

ADELE	ELTON JOHN	MARIAH CAREY
BILLY JOEL	EMINEM	NICKI MINAJ
BRITNEY SPEARS	JUSTIN BIEBER	PINK
COLDPLAY	KATY PERRY	PITBULL
DEMI LOVATO	KYLIE MINOGUE	RIHANNA
ED SHEERAN	LADY GAGA	TAYLOR SWIFT

44 The Sea Shore

```
D P V U S I L B S E M T E Q O
I W B X R C B R Y D G Q N A V
B T A F S N L J P U S I Z U X
Y A R T R L R E S H Y J X T Y
Y O C O E R I L E H E C O W A
P S R A C R C L L P I O A T A
Z E E E D K L Y R L X N L L O
O A D N P S S F O A E C G I H
P W I E O P X I O N N H A L S
F E P K Z M O S N K U J E U E
T E S W Y C E H D T D O Q Z G
E D L A L Q H N D O D H C D N
E P R V R O C E A N N E J J O
Z O H E R M I T C R A B A U P
A S M S Q R H S M U S S E L S
```

ALGAE	OCEAN	SHELLS
ANEMONES	PLANKTON	SHINGLE
CONCH	ROCKS	SPIDER CRAB
HERMIT CRAB	SAND DUNE	SPONGES
JELLYFISH	SAND HOPPER	WATER
MUSSELS	SEAWEED	WAVES

49

45 Newspaper Words

```
X C R X S A S C I E K A K E C
F K O Q T S F R O H R X V I N
G P Z V R S S I E E O R O D T
R X A K E P C A P T I O N G N
T R O P S R D O L S T I Y R O
E N R N N L R P O E Y E P R I
E Y C R I T X M R P F R L K T
N S T N E M E S I T R E V D A
I O E R D R O W S S O R C T L
L U O S F C O L U M N I S T U
Y Y L T H I E L C I T R A O C
B O I H R O T I D E P E F P R
S E P I D A E H T S A M P M I
R T N N L P C S L H G G D B C
V I A J R X K E E Z E U K S U
```

ADVERTISEMENTS	COLUMNIST	INSERTS
ARTICLE	COVER	LETTERS
BYLINE	CROSSWORD	MASTHEAD
CAPTION	EDITOR	REPORTER
CARTOON	FRONT PAGE	SCOOP
CIRCULATION	HEADLINE	SPORT

46 London Theaters

```
I  B  P  T  P  T  S  R  J  S  T  L  H  H  P
B  M  T  H  H  A  J  W  Y  N  D  H  A  M  S
N  A  E  B  O  L  G  X  L  S  T  Y  R  E  N
N  S  A  O  O  E  E  D  A  C  M  V  O  R  E
R  Z  R  O  L  P  N  V  A  A  Y  R  L  M  E
B  V  Q  B  I  D  O  I  R  M  L  K  D  A  U
T  G  S  O  V  Y  K  X  B  S  S  P  I  Q
J  H  A  K  I  L  E  I  G  R  G  A  I  D  S
P  P  P  R  E  T  L  F  C  I  L  P  N  U  E
P  L  H  A  R  O  L  K  O  D  D  O  T  G  R
I  X  R  E  L  I  O  Y  W  G  Y  L  E  L  G
O  T  W  N  A  A  C  Y  C  E  X  L  R  E  I
W  R  W  N  Q  U  C  K  R  E  U  O  J  I  A
E  T  E  G  R  H  O  E  U  U  U  O  V  G  A
A  I  O  I  D  X  T  N  P  H  G  M  X  T  J
```

ALDWYCH	HAROLD PINTER	OLIVIER
APOLLO	HAYMARKET	PALACE
CAMBRIDGE	LYCEUM	PHOENIX
GARRICK	MERMAID	QUEEN'S
GIELGUD	NOVELLO	SAVOY
GLOBE	OLD VIC	WYNDHAM'S

47 Words Containing "Lit"

```
P A F D Y V I T A L I T Y V F
T M Y O Y T P A S U V A T R Z
F P T U R P I O T A V I I B E
M L I I S M L L Y A C D L S L
C I L T Y I A E I O L B I I I
V T A Z T V Q L A G T R B L T
Z U U U Q U A L I T A T I V E
W D D M A B I U T T I Q S Q R
N E O L I T H I C O Y Z S E A
Y T I L I B I S N O P S E R T
L T I O V Y T I L A E R C N U
Y T N D Z Y T I L I T U C U R
Y S L A R O B L I T E R A T E
F G H A E I Q R V U G Q P I T
L V U D D M T V X H I S V R M
```

ACCESSIBILITY	ELITE	QUALITATIVE
AGILITY	EQUALITY	REALITY
AMPLITUDE	FORMALITY	RESPONSIBILITY
AVAILABILITY	LITERATURE	SOLITUDE
COALITION	NEOLITHIC	UTILITY
DUALITY	OBLITERATE	VITALITY

48 Words Beginning with "N"

```
E G D U N E U T R A L R W O N
B H L S A O B N O T A T I O N
I U T Y F O O O S S H A W E U
Y J K N R T A T A U W Z A X C
I T U O I E L H E O R T N A L
G T S O J N N I X V A F E Q E
W S N J L O B N T R N Y N N A
A A U A I D A G U E T O E I R
O D S S S T J L B N T P W B P
R K Y Z U P T U F E H A T B X
P U R R L F L M N E W S G L A
B X A J B A W X W K D M I E Z
U L Q O O E K T A T Y T I S N
R R H O N N M E Q T A V W D U
V Y T Y R D R Y A U A I I A C
```

NARWHAL	NEUTRAL	NOTATION
NATURAL	NEWS	NOTHING
NEBULA	NEWT	NOTION
NEGATE	NIBBLE	NUCLEAR
NEPHEW	NINTH	NUDGE
NERVOUS	NOISY	NUNNERY

53

49 Familiar French Words

```
X I E A T E L L A B E L L E C
C U G I E T E I L Q M H T D N
H P A V I R S A E P A O E C U
W V R U A A A U S A G M U E R
K S I P F C K C X Z P E Q V E
I S M S A A U O H H I L U P T
D B E O A L I N U I R E O J E
P T E C D A S T D D C T B Q Q
A Q S E N C O R E L P I X C O
N B S X U T R A A O A A F N O
A A U P A I R I U D X I T P T
C X O T V A R R I Z F X Y Z C
H I M S O I R E E G Y U P Y P
E I T P G I U W R S K L L Q C
T U R X R J O F P T M E E V P
```

A LA CARTE	BELLE	MIRAGE
ADIEU	BOUQUET	MOUSSE
AU CONTRAIRE	CHIC	OMELET
AU FAIT	CUL-DE-SAC	PANACHE
AU PAIR	ECLAIR	POTPOURRI
BALLET	ENCORE	SOIREE

50 Paintings of Claude Monet

```
M O S R A L P O P P I E S A S
L O R A X P A S O S Z I S F T
E F R U I T T R E E S P E C C
M H F N F L U O D S R G S L I
B P S I I T H S P I V A U T F
V P E U S N S A N R K M O W L
X L L U B C G G D I C E H O A
D I E P P E T U K W A H D A I
J P M L S I S S A O T T E N R
Z A R B M D X O N L S T R G E
L H T E S N U S R L Y L E L T
C B U J A R O F P E A C H E S
U E R E T J V E F Y H U T R I
S E R C H C N U L E H T F S W
C T S G U A R Y A O N P A R T
```

DAHLIAS

DIEPPE

FRUIT TREES

HAYSTACK

JAR OF PEACHES

MORNING

OAT FIELD

POPLARS

POPPIES

SPRINGTIME

SUNSET

THE LUNCH

THE MAGPIE

THE RED HOUSE

THE ROSE BUSH

TWO ANGLERS

WISTERIA

YELLOW IRISES

51 Shades of Yellow

```
L S H K S E L P A N T P A A G
O U I G K A G O L D I Y Q I I
Y H H B U F F I A O R T L T C
R L U P N W N F E R E C R U Q
C T E V I L O S R B J Z I R W
E L E S R V T L Q O O L I G T
S N O S T R A W G E N N R A X
A F V R V C Q N O N Q M P E M
D B P O R S S T I P U R R J H
I R I E B T R I S L I S R N P
U V A L O R Q O O C L K D N P
I M E M I K A D O P S A A L L
P P A G B O P T T G V F R H Q
A J N R R E N B X A R U N M K
C U X E L O R A M M X D A V T
```

AMBER	GOLD	NAPLES
APRICOT	JONQUIL	OLIVE
BEIGE	KHAKI	SAFFRON
BUFF	LION	STRAW
CREAM	MAIZE	SUNGLOW
ECRU	MIKADO	VANILLA

52 African Sights

```
T T N W O T E P A C M L O M F
A T G B Q N T A M E V R T O V
P Q O K T N X S A L Y D V K I
P Y R A M I D S O F G I Z A Z
R X O M B A N C P D C H S V Q
S C N Y A I A E Y T I E W A A
E S G R N A L A O R R L L N D
L A O O J K S R I E E X O G R
L O R Y U A I A N Z D N E O Z
E H O I L A N G I K S L E D T
H A A N F L E A A M E J E E Z
C R Y A R T B E A D A F T L T
Y E L T I M B U K T U R Z T T
E L T A T A O U I N E A A A J
S A F A R I R O X U L S T Z B
```

BANJUL	NGORONGORO	SERENGETI
CAPE TOWN	OKAVANGO DELTA	SEYCHELLES
CYRENE	PYRAMIDS OF GIZA	TATAOUINE
JEMAA EL-FNAA	RED SEA	TIMBUKTU
LUXOR	ROBBEN ISLAND	TSODILO
MAASAI MARA	SAFARI	VICTORIA FALLS

53 Straits

```
S S G W S T R R R K S S T A Z
T U O K A O T M G U N J C M T
O P L I R B V R A A J A I O A
K I D T H A A H K X A D I I H
H R D A G C V E U M S S J S K
V U A N M J R C T L L E Y P A
P E D M O P A A V S A I P Y N
R R K S N F I T F A X S C L V
R T A L O E F E I E U T O U U
G M N M I N D O R O A A S H V
T N M Q L R D R R U E B K A O
N F O C H A T H A M V O Q P G
H B N Z V L K J W C O C Q B S
F T Y I U V U J S C F S E U E
X P D M N L X C A B A L A B A
```

BALABAC	DAVID	HUDSON
CABOT	DENMARK	KALMAR
CHATHAM	EURIPUS	KANMON
CHIOS	FORMOSA	KITAN
COOK	FOVEAUX	LUZON
DAMPIER	HECATE	MINDORO

54 Words Beginning with "G"

```
F U A P T T G U I T C Z E M R
C T A A O O V G T E F I T X O
S A T G L A C I A L G R A Q L
V E J D G R A V I T Y G R R Z
E D E T G P N I G N L A E G Z
D N A L G S S L A U G L N Y S
J Q Y T P O U S M A I L E V U
L P N M P S U O E G R O G R O
H N M D N A R G R N L P Z U L
Z R T E K T Y H N E T Y D S U
R F E A T T H S C I N A A D R
F S S I A I A T Q T R E E A R
B V Y L S U X W E E I A G R A
Q F N N A Q O E L B I L L U G
A F P D J P A O T U R L G G W
```

GALLOP	GIRL	GOLDEN
GAME	GLACIAL	GORGEOUS
GARRULOUS	GLAND	GRAND
GAUNTLET	GLARING	GRAVITY
GENERATE	GLITCH	GREATNESS
GENEROUS	GLYPH	GULLIBLE

59

55 Characters from the TV Show South Park

```
S  W  Q  D  C  O  L  E  S  T  D  C  T  K  R
F  Y  A  W  A  F  K  H  S  W  O  E  V  E  S
T  A  E  P  R  F  E  O  A  B  D  A  V  V  M
F  A  T  S  O  I  N  E  T  E  R  J  M  K  J
E  D  F  H  L  C  N  I  W  B  G  M  E  T  K
E  I  I  A  E  E  Y  Z  B  E  U  A  I  N  R
Q  A  U  R  E  R  Q  J  R  J  O  K  L  E  T
S  Q  T  O  O  B  M  I  J  I  J  E  O  J  G
C  L  A  N  Z  A  C  A  D  N  I  L  I  N  W
C  R  A  I  G  R  G  G  X  E  E  M  Q  K  Y
R  H  Y  T  L  B  E  P  T  I  M  M  Y  W  I
R  J  E  A  N  R  K  E  O  Y  E  L  A  O  T
D  A  O  F  A  A  D  W  I  F  E  U  V  E  G
J  R  R  L  T  D  S  T  A  N  A  T  M  C  R
W  R  D  I  Y  Y  E  E  S  F  Y  Z  J  Z  S
```

BEBE	GERALD	OFFICER BARBRADY
CAROL	JIMBO	SANTA
CHEF	JIMMY	SHARON
CRAIG	KENNY	SHEILA
ERIC	KYLE	STAN
FATHER MAXI	LINDA	TIMMY

56 Three-letter Names

```
O H E V O I X H Z O R V E S A
R S R E R L I I O H D T Q O T
U Y K N W Z R F I I E J P G B
S L O U A O U R V O Q B A O T
H R E R L M R P S G L T N I J
N N H X T S L D M L A U E U Q
E K T U P F Z B W G Z U L H U
T R G A U B U R S U I K I H A
S S E U S O C S V W B P J A R
Z I G X C J E S V X O Z B E Y
Y B R A Z A A N P W B Q E Y B
P I F Y M K M M T T A M Y R U
P K T A T O I A N N V T U R D
A C S K Y K T E D E E G F U R
Z O A U U S B R T E W U U G S
```

AMY	EVA	RON
ANN	IAN	ROY
BEN	KAY	SAM
BOB	KIM	TED
CAM	LEX	TIM
DEE	LOU	TOM

57 Musicals

```
I F O K P P Q B V W D E R R T
Q C A R O U S E L S U F W E A
R U S U I O I M U W I C K E D
S T M P F S I A T N E R X V F
J U A Q J A E F C H E S S O A
N S E I D R E V E N E V O L I
T E R A B A C A E V I T A F U
H R D R O O I T J E L T Q O O
J T Y C G M T S G O J D X S S
R U A C A W F O O Q S Y B T V
S T B M C A A S R Q J S B C H
S E M R I M E S J W R C T E X
Y A O X H F L E S E R T J P R
M F B T C A H N V G R E A S E
R T S T P G O K L A H O M A F
```

ASPECTS OF LOVE

AVENUE Q

BOMBAY DREAMS

BY JEEVES

CABARET

CAROUSEL

CATS

CHESS

CHICAGO

EVITA

FAME

FOOTLOOSE

GREASE

LOVE NEVER DIES

MAMMA MIA!

OKLAHOMA!

RENT

WICKED

58 US Presidents

```
W S F T J O O T C L I N T O N
S W A T X I B G L T U L B I M
H R Z N E I A K E T R U M A N
O A I O E N M T V X F U D E T
T X R S L R A K E F Z I M S U
O K Y R W E U N L B S R T P H
E C R E I P A B A O U T J E D
M A U F L S N M N H P A R T A
S T P F S T O O D A C T Q I U
U H P E O Y K N X K V U S R H
S L S J N L T R S I J R B C P
A Y E W R E V O O H N S K S D
R J U F K R N E O N P J I D D
E Y S T A T P I U X T H U L F
I Q S L S E J T O R N L U Y L
```

BUCHANAN	JEFFERSON	POLK
CLEVELAND	MADISON	TRUMAN
CLINTON	MONROE	TRUMP
HARRISON	NIXON	TYLER
HOOVER	OBAMA	VAN BUREN
JACKSON	PIERCE	WILSON

59 Surfing

```
C U R E K C O R H L M O E U P
S S R M M N D R Z S I X U Z T
C O T Q B A R R E L A A S Y I
T R U K A E R B H C A E B R L
M E O I N U N F T Z Z V L W K
P C K N E E B O A R D I N G A
L M C T R V O I Z I A A D T U
Z W I H O I A P L T D G D O E
G X K E I D X W R L C R H M M
R R S S D K A K Y E A A X C J
S P E O O C T A A T N B P N O
P O P U P U O J T G R E O M F
Z T S P E D R O T X S A K N I
O W F O A M I E S H H H P S G
V W G N I K N A R C Q U E N Y
```

A-FRAME	DUCK DIVE	KNEEBOARDING
BAIL	FOAMIES	LEASH
BARREL	HANG TEN	NEOPRENE
BEACH BREAK	IMPACT ZONE	PARTY WAVE
BILLABONG	IN THE SOUP	POP-UP
CRANKING	KICK OUT	ROCKER

60 In the Office

```
I  C  Z  V  D  A  P  F  Z  P  A  N  A  R  Y
K  O  P  X  K  M  T  A  G  E  J  F  G  U  A
Y  M  S  E  N  O  H  P  E  L  E  T  F  L  E
L  P  H  O  T  O  C  O  P  I  E  R  M  P  A
Q  U  E  O  E  R  A  Q  A  X  T  D  N  D  D
Z  T  K  N  Z  G  L  U  E  C  E  V  E  Y  A
G  E  R  E  C  N  C  C  O  S  M  U  J  J  M
E  R  S  H  J  I  U  L  K  I  A  P  U  R  O
D  S  A  F  T  T  L  I  W  O  I  P  V  W  T
E  I  D  K  I  E  A  S  V  C  L  R  F  C  E
R  O  A  V  A  E  T  E  T  R  V  I  R  I  J
J  N  E  G  T  M  O  U  P  L  A  N  N  E  R
A  S  U  I  R  D  R  A  O  B  E  T  I  H  W
O  E  Y  A  D  E  T  R  A  I  N  E  E  G  B
S  V  Q  D  S  S  T  A  P  L  E  R  L  B  K
```

CALCULATOR   EXECUTIVES   PLANNER

CHAIR   GLUE   PRINTER

COLLEAGUES   MEETING ROOM   STAPLER

COMPUTER   PENCILS   TELEPHONES

DESK   PHOTOCOPIER   TRAINEE

EMAIL   PICTURES   WHITEBOARD

61 Types of Phone Apps

```
Q O Q O O L C N I I I L M P I
H N R F R I A O I D A R E C J
Z V T R B U S I N E S S A B S
D O U V E O H T D F Z M T E P
V R C T A T B A T U E X R G F
U K O D U S A Z P R E S S N I
G E G W S O C I A L M E D I A
F N N R S F K N L R T J S P T
E F I L E S H A R I N G U E E
P G K G T V O G L U Q A R E Z
S K N C A P M R T O L L R K T
A Z A I X S J O C O R L D E E
A J B S M P S O V U X E B M H
T D A U G A A E T I O R I I E
A U O M Q M G A M L E Y G T O
```

BANKING	GALLERY	ORGANIZATION
BUSINESS	GAMING	RADIO
CAMERA	MAPS	RETAIL
CASHBACK	MESSAGING	SOCIAL MEDIA
CROSSWORD	MOVIE	SUDOKU
FILE-SHARING	MUSIC	TIMEKEEPING

62 Broadway Theaters

```
F Q B S S A M D S W W S F S E
I L R O T U D L X N R T A R U
P S C O R T R E B U H S T H S
G A C Z O F F O K S N I M A Q
A N L O N G A C R E Y U T M T
M A K A C X Z J D U U Q U S S
B N O V C S O E U N X R I Y R
A I T C Y E R B O F C A C M U
S W B B S L P M C V I M L O H
S H B O A A I A R I T T S A D
A S L N O S L I W T S U G U A
D R D E L T D E D W E U T T O
O E X I R A H Q B F J R M B R
R G E V I M P E R I A L O Z B
W N E F O L Y C E U M Z U Z T
```

AMBASSADOR	GERSHWIN	MINSKOFF
AUGUST WILSON	IMPERIAL	MUSIC BOX
BELASCO	LONGACRE	NEDERLANDER
BOOTH	LYCEUM	NEIL SIMON
BROADHURST	MAJESTIC	PALACE
CORT	MARQUIS	SHUBERT

63 Pigs

```
D J D A Z P C G Z F H A S E A
R M R A I S L I K U B Q C L F
O U I Y I S L E B F E K R S P
C P O T B E L L I E D A L I H
V K M O N E V R C I R A K C D
G M O A E H R C R L D I M N L
D I N C T M U K O T A Y A L G
P A A G F O D Z S R R K U N M
Y U T A M W O R T H U E E L J
I C E S B S T F O N I D S R L
R Q B C A R D R E F S R S I E
X U I O S U O K R L E A E S A
R U T N Q D U T L W U R X T H
S T K T U N A H S I E M E P I
I U S H E B M O C A L G A H W
```

BASQUE	IBERIAN	MULEFOOT
BERKSHIRE	KELE	MYRHOROD
DUROC	KUNEKUNE	POT-BELLIED
ESSEX	LACOMBE	TAMWORTH
GASCON	MEISHAN	TIBETAN
HEREFORD	MUKOTA	YANAN

64 Rain Forest Creatures

```
M B L T C L A X S U L U H Z S
I F L G K I N K A J O U P Q A
P P L E O P A R D A A I S M G
X O A C T H T A E P R G P A F
A V N K L U U I G A P P U C O
P V J O O M G R N C F K G A J
S U R H S M N H H F L E T W R
U Y M O T I A Y R H Y H J C U
A A P A N N R C A L I R I A A
S G E T R G O O A N N R A S T
X R C Z S B H J L P G U G E C
T A C I F I S R G W F M F L O
A M A N D R I L L A O E S W Q
R A R A R D A E J L X L K R A
D F Y T K O P S T Y G N S S A
```

FLYING FOX	LEMUR	ORANGUTAN
GECKO	LEOPARD	PACA
HOATZIN	MACAW	PECCARY
HUMMINGBIRD	MANDRILL	PIRANHA
JAGUAR	MARGAY	PUMA
KINKAJOU	OKAPI	SLOW LORIS

65 The Rodeo

```
P R R L U T V W P S X I E R A
Q P C E E L U N P Q A E O C G
O Z S T P E H X D E H A N C A
O E F U A O D O B I Q J L N G
R R N H Y I O F L O X S X Z I
E E S C M C R L S T W H E I S
L Z G S Z A E A B U H C R G I
E A N G X L R N L R K Z E E R
E H I S A F Z K I N S T R R F
H K K M L R E S O O O L C Y O
M A C S W O D T P U L L O C S
A S U P B P I R T T T G W A T
T W B A O E R A S V N P B X W
P U S H E R E P P O H W O R C
Y L R C K R R T D A L L Y S A
```

BLOOPER	CROW HOPPER	HEELER
BUCKING	DALLY	LARIAT
CALF ROPER	DRAGGER	MARK OUT
CHAPS	FLANK STRAP	PUSHER
CHUTE	GET OUT	RE-RIDE
COWBOY	HAZER	TURN OUT

70

66 Michael Jackson Songs

```
N B D Y S S C Z S S E K E T P
A I Q P A R O D R M N E H D A
E A R T H S O N G T I U E I S
J N K C F Y T H R I L L E R U
E R O C K W I T H Y O U E T O
I J K L E S A Y S A Y S A Y R
L H U M A N N A T U R E P D E
L O F Z J E M O T N I E V I G
I P R A T A M E B A O O W A N
B E M X S P E E D D E M O N A
I E A R A H A A V R L S P A D
O K E E P T H E F A I T H H V
A T R Y I O F F T H E W A L L
C V C T E D N E I R F L R I G
U E S U U Y S I Y V K G S Z A
```

BEAT IT	GIVE IN TO ME	ROCK WITH YOU
BILLIE JEAN	HUMAN NATURE	SAY SAY SAY
DANGEROUS	JAM	SCREAM
DIRTY DIANA	KEEP THE FAITH	SMILE
EARTH SONG	LEAVE ME ALONE	SPEED DEMON
GIRLFRIEND	OFF THE WALL	THRILLER

67 Jeans

```
S Y W N I N C T A F G P Z O M
D D D N R P Q N D L Y P A B T
P E K E T P D P T S N Q X P X
V R Y W H G L C W O O R A O M
M E W D G C C Z V A L Q K R T
T P M V I N T A G E J E E C J
U A E B A F L A R E D L S R Z
P T R L R Y R I P U A U S O B
B C O F T O P H C X B T Y P J
A N L T S P I D E T N I R P V
G S M A E I A D F T O V E E W
G B L D S H C T E R T S T D D
Y N N I K S T S S R A W Z U M
I I A E M W I D E L E G R J R
U A W C R J V C P E R D I A R
```

BAGGY	LONG	SLIM
CLASSIC	PATCHED	STRAIGHT
CROPPED	PRINTED	STRETCH
DYED	RELAXED	TAPERED
EMBROIDERED	RIPPED	VINTAGE
FLARED	SKINNY	WIDE LEG

68 Modern Life

```
L A S T S X E B R O F U O P U
T D K Y S T O B O R L N U A D
I L Y C K E H I E W L I E G U
A G A I R U L A F I S R A C B
T P E I O E L F N B H D O M V
Y M L A W I D E I A G M L I E
P S E H T L B I U E P R D S U
S H C Y E A P T T U S E W U Q
S R T U N W O S T C O E I X L
R V R K L M R E P G A D F S L
Y T I L A E R L A U T R I V T
S N C T I I A M G I P A D T A
G Y I O C T E C H N O L O G Y
X O T A O S Z P M I N W T T O
N T Y U S M A R T P H O N E S
```

AUTOMATION	GADGETS	SMARTPHONES
CARS	IPAD	SOCIAL NETWORKS
COMPUTER	ONLINE BANKING	TECHNOLOGY
CREDIT CARD	REALITY TV	VIDEO GAMES
ELECTRICITY	ROBOTS	VIRTUAL REALITY
EMAIL	SELFIES	WI-FI

69 Fishing

```
T L U A B L T P S U S P O M Q
W A A T S X T F S V S X T P S
B Q H S T F D T S X V C T A O
R L X T R V R P U S A S B R S
H A F C L I N E P B T R W U E
J W Q T I H T S E P I R O T U
G D S E I T N I H L A O R N F
D L A O C E O T A O B F M R W
W T I E I N R K T R A P S R S
D B A K E S E U S Z B L T E H
M O M L R G N I L G N A A O D
D A K Z Q N N V T I L R O P G
U K L O D K H C T A C K L E I
A T V K E W A T R O P S F M Y
L G A R P F H U E E M Q E U T
```

ANGLING	LAKE	SHOAL
BAIT	LINE	SINKER
BOAT	LURE	SPORT
CATCH	PATIENCE	TACKLE
FLOATS	REEL	TRAPS
HOOK	SEA	WORMS

74

70 Pumpkin Varieties

```
A E E G Y B R T W B P E F N D
I B U R Y A L T R T S U O P O
I R A O R O U A S S N D P Z J
T R H B I G M O O N P R R S O
I P A A Y U I D Y M B I U U T
S E R L P P N F N I O G R I B
A N V I U P A V G I H T A I U
N A E W Z C Y M S O K J G M T
K K S P E E A J S E A H U I P
U S T A S X W T A C A R S I B
R E M Z F A R I K C U A L U F
A C O U M I W P N O K H L P B
L S O O D B O R V N O M A G U
R A N E Y T S O R F E P M R V
U W R A E B Y B A B C R S N Z
```

ASPEN	BUSHKIN	JACKPOT
BABY BEAR	FROSTY	LUMINA
BABY PAM	FUNNY FACE	PRIZEWINNER
BIG MAX	GHOST RIDER	SMALL SUGAR
BIG MOON	HAPPY JACK	SPIRIT
BIG TOM	HARVEST MOON	SPOOKTACULAR

71 A Job Application

```
T R A C H I E V E M E N T S Z
Y E S T V E X P E R I E N C E
O F L W O R K H I S T O R Y D
T E L E V P O S I T I O N P U
S R I H P E M A N T S R I F C
T E K A T H F V A R T H M O A
E N S R B R O C A O S S Q E T
S C Y E C K I N S N U U Q E I
U E E A L F L B E U L P D Y O
C S K A I T V Z F N R P R O N
Y R A L A S I E P O U N I L P
T X A D U T L T D O E M A P J
O U Y F I S T I B Q R T B M L
Q O C C U P A T I O N R A E E
S U E M P L O Y E R J A B D R
```

ACHIEVEMENTS	EXPERIENCE	QUALIFICATIONS
CITIZENSHIP	FIRST NAME	REFERENCES
DATE OF BIRTH	JOB TITLE	SALARY
EDUCATION	KEY SKILLS	SURNAME
EMPLOYEE	OCCUPATION	TELEPHONE NUMBER
EMPLOYER	POSITION	WORK HISTORY

72 US Horse Racing Tracks

```
A O R F A I R G R O U N D S D
D A K R A P A R R E T L E B N
F K R A P T N O M L E B L T L
A L O S A T I N A A T N A S O
I A K E N T U C K Y D O W N S
R W D R O W R O X J F M A W A
P N E E R K O U C O S S R O L
L P L T E I Q D N U T R E D A
E A M A Y Q C N K O L H P A M
X R A M S A E M I L R I A T I
L K R A P R E I S O O H R L T
G Y Q P P Q A A S Q V F K E O
R K R A P S I L L E I L F D S
Y K R R K R A P Y A W F R U T
L K K K A T H E M E A D O W S
```

BELMONT PARK

BELTERRA PARK

DEL MAR

DELAWARE PARK

DELTA DOWNS

ELLIS PARK

FAIR GROUNDS

FAIRPLEX

FONNER PARK

HOOSIER PARK

KENTUCKY DOWNS

LOS ALAMITOS

OAKLAWN PARK

RETAMA PARK

SANTA ANITA

SUFFOLK DOWNS

THE MEADOWS

TURFWAY PARK

73 Bulbs

```
E J O H C U G N K I M Q R R U
S O P T C Z I P I L U T D U D
S I L A X O I R R R I O A D A
A F R R S S O V U S L U H T P
S G R O C R O C U S L Y L A W
H N A I C A R L G S A S I U A
F S T P T Y O X D C F P A G T
F O X T A I L L I L Y L R X N
R P I M D N L N U G M I A S W
E E Y A I I T L H U B D S J R
E I L V S H J H A O I O G H F
S G O Q I H A W U R R F M S A
I A M A R Y L L I S I F I N Y
A P T B I E N O M E N A O I R
S S D D I N S S N O W D R O P
```

AGAPANTHUS	DAHLIA	IRIS
ALLIUM	FOXTAIL LILY	LYCORIS
AMARYLLIS	FREESIA	OXALIS
ANEMONE	FRITILLARIA	SNOWDROP
CROCUS	GLADIOLUS	TARO
DAFFODIL	HYACINTH	TULIP

74 Famous Statues

```
F H L T L U K O E K A L A S T
B A C C H U S E S O M A E S T
X N I H P S T A E R G I L F H
O L L O R T T N O M E R F T E
S L M N N U A A S B E O R S T
T N I A O B P B B V F M S A H
K W T M R I K F U O I E Y W I
I R X S E A L G L S L M E C N
S I D T I D T D P A I Y F A K
O Q A A R U S H N L M M O R E
S T R E V K U U O A R I B W R
R A A C I I P R N N W V N E L
E M M S A H D L P E B I U G L
Y E R O T S I R C I V O A X O
B S C L O U D G A T E K Y M N
```

ABU SIMBEL	FLAMINGO	PIETA
BACCHUS	FREMONT TROLL	SALA KEOKU
CLOUD GATE	GREAT SPHINX	THE THINKER
CRISTO REY	MAIWAND LION	USHIKU DAIBUTSU
DAVID	MARATHON BOY	VENUS DE MILO
DREAM	MOSES	VIMY MEMORIAL

75 Words Containing "Leg"

```
V G E L E R O F A K N I I Y Y
L E L A G E L L I X L T G Q U
R E E Z E N O I T A G E L E D
A C G E R S X F W C L E S L T
S M A I G R L Z O E G R F G A
A A N E S E A L T I I C N C V
C R C B G L L Z T N O I G E L
R G E I H E A I C P G I I U P
I E B A G G M T V G S R O R R
L L P I T A T U E I S D Q I O
E E A F C T E L E G R A P H A
G T I Y D I T Y N T E P R S K
E T K B S O R T I L E G E N D
B O X O O N A A F L L T N L V
A L G B K O Z R A D R A A K R
```

BOOTLEGGING	ILLEGAL	PRIVILEGE
COLLEGIATE	LEGEND	RELEGATION
DELEGATION	LEGIBLE	SACRILEGE
ELEGANCE	LEGION	SORTILEGE
ELEGY	LEGISLATE	TELEGRAM
FORELEG	LEGITIMACY	TELEGRAPH

80

76 Beans and Pulses

```
A M L K N T K G T I U U T I V
D L Y E Y I L U T N O A K V F
R R E C D T T E L I D I T I Z
L R G N O O D A O R B N S O O
G B E E T C Z U A T L A A U U
R Y E V A I O Z T A S A X B F
O O N T F R L A U I A V A F U
R I O F L A G E O L E T J R F
T J S L T H E P T F P A P S I
E X N B A T S N E P K S L K Y
N O O U X T X O G J C E Y A L
A T W T I W P E N T I A Q S A
S N P T M U N G A B H T T E S
A I E E Q L E I M H C N E R F
S P A R P B S P L I T P E A Y
```

BROAD	FRENCH	MUNG
BUTTER	GREEN	PETITS POIS
CHICKPEA	HARICOT	PIGEON PEA
COCOA	KIDNEY	PINTO
FAVA	LENTIL	SNOW PEA
FLAGEOLET	MANGE-TOUT	SPLIT PEA

77 Accountancy

```
I  S  T  O  C  K  Q  P  P  U  C  O  V  Z  L
T  P  N  S  T  E  S  S  A  C  K  I  Q  G  B
K  D  E  A  U  Q  D  C  O  D  A  P  G  T  D
K  H  M  M  Y  I  C  N  E  W  R  R  M  Y  C
A  I  E  F  A  O  T  B  F  O  P  V  W  Q  D
D  A  T  T  U  R  T  I  F  A  P  Y  S  J  E
S  P  A  N  O  O  G  I  D  I  D  M  S  H  N
K  E  T  L  R  W  T  I  C  U  S  E  S  P  T
Y  S  S  S  E  E  Q  L  N  I  A  R  T  H  T
O  N  E  R  V  V  V  T  A  M  F  G  B  R  U
O  E  M  Z  U  T  M  O  A  T  R  E  E  O  R
G  P  O  F  G  W  P  U  N  R  I  R  D  R  U
U  X  C  R  E  D  I  T  O  R  S  P  D  R  O
P  E  N  R  O  X  Y  T  I  R  U  T  A  M  O
Y  T  I  D  I  U  Q  I  L  R  C  T  B  C  B
```

ACCOUNTS	CREDITORS	MARGIN
ASSETS	DEBTORS	MATURITY
AUDIT	DEFICIT	MERGER
BAD DEBT	EXPENSE	PROFIT
CAPITAL	INCOME STATEMENT	STOCK
CONTROLS	LIQUIDITY	TURNOVER

78 James Bond

```
Z  L  C  Z  T  M  A  S  Y  O  P  A  W  R  Y
U  P  I  L  T  H  S  U  P  S  Y  G  O  L  M
E  G  N  O  L  R  U  T  E  Y  O  E  N  O  T
X  W  I  D  P  L  E  N  F  L  I  O  O  E  S
R  E  T  Y  A  R  A  G  D  A  S  N  A  R  P
V  Y  R  P  X  N  H  F  N  E  R  M  G  I  R
E  E  A  O  A  I  I  F  Y  A  R  G  L  A  O
I  N  M  Q  G  N  L  E  K  K  D  B  J  T  Q
T  E  H  R  G  E  R  E  L  O  S  J  A  I  H
U  D  J  E  M  U  R  E  F  C  U  X  U  L  S
I  L  R  I  O  A  M  M  Z  A  R  T  J  O  L
S  O  N  Y  R  E  N  N  O  C  N  A  E  S  R
T  G  R  T  H  H  K  P  B  O  W  R  I  R  R
U  O  L  T  J  F  R  A  A  S  R  F  L  G  S
F  L  J  S  R  M  O  N  E  Y  P  E  N  N  Y
```

DANGER	IAN FLEMING	SEAN CONNERY
DANIEL CRAIG	JAWS	SKYFALL
FELIX	MARTINI	SOLITAIRE
FOR YOUR EYES ONLY	MONEYPENNY	SPYING
GOLDENEYE	MOONRAKER	THEME
GOLDFINGER	ROGER MOORE	THUNDERBALL

79 Types of Bridges

```
A T M L T P B Y G Y D K R J M
T G R E D R I G X O B T X G U
A J C S M L A T N E M G E S D
R A D S U U P N U R L U R R D
Y T R U S S U R S T T O S E E
T J C L A P P E R P V B Y D J
R E R A A O I E E I O A A R U
M B R U N F S L N T T R O I K
S T T T Y T C G I S A U T G F
O T O W L R I F E A I R E E S
C O V E R E D L T E T O A T R
N U M O V A B L E P Q G N A E
O M O G W A E Y K V T W I L Z
A J O Z C S A K F P E R A P Y
T L N X X P M O A F O R M C L
```

BEAM	LOG	ROVING
BOX GIRDER	MOON	SEGMENTAL
CABLE-STAYED	MOVABLE	SUSPENSION
CANTILEVER	PIGTAIL	TRANSPORTER
CLAPPER	PLATE GIRDER	TRESTLE
COVERED	PONTOON	TRUSS

80 Artist's Equipment

```
J  K  R  Q  S  L  K  E  S  X  M  R  Z  A  P
M  R  N  A  F  R  A  M  E  A  Q  C  I  A  W
P  P  E  B  I  P  R  O  N  A  V  R  I  I  S
U  O  S  O  P  I  O  N  C  S  B  N  L  R  T
F  U  F  S  T  E  E  B  T  R  T  J  A  W  F
U  K  A  T  S  Q  N  Z  U  O  A  L  Y  C  G
T  I  N  V  U  G  D  S  Y  L  O  H  N  T  R
I  C  S  I  C  R  H  Q  I  O  A  A  C  S  Q
S  L  N  L  L  L  P  G  L  C  D  P  D  R  T
V  O  I  L  E  E  H  E  R  R  H  G  H  A  B
A  T  C  A  N  T  S  S  N  E  E  A  P  X  J
S  O  S  C  B  U  S  A  Z  T  S  O  L  O  U
T  I  I  O  U  U  R  A  E  A  I  A  A  K  I
T  L  X  L  Z  A  L  T  P  W  V  N  R  P  T
S  S  R  U  G  L  B  Y  T  D  E  Z  E  E  A
```

ADHESIVE	ERASER	PAINT
AIRBRUSH	FRAME	PASTELS
CANVAS	INK	PENCILS
CHALK	LIGHT BOX	PENS
CHARCOAL	MANNEQUIN	TURPENTINE
EASEL	OILS	WATERCOLORS

81 Common Verbs

```
O  K  K  L  L  E  T  R  Y  U  A  E  Y  X  T
D  B  A  N  L  R  W  N  O  E  Y  R  E  V  D
E  Q  C  E  I  A  O  A  A  O  E  T  E  O  S
C  B  L  P  P  H  C  W  S  J  J  H  O  R
I  R  R  P  A  S  T  K  E  W  R  B  P  A  P
D  S  E  A  Z  P  E  Y  P  S  U  R  T  M  R
E  O  H  H  C  T  A  W  H  O  U  M  D  Q  U
V  C  T  O  B  Q  W  O  R  K  U  K  K  R  X
I  D  A  W  X  N  W  E  F  I  N  D  K  T  E
G  B  L  T  P  S  T  W  K  O  T  C  S  E  L
A  R  Z  F  A  R  D  E  W  R  P  E  E  K  A
T  V  Z  U  O  I  Q  S  B  P  U  F  T  T  B
S  R  T  X  A  Y  O  R  S  K  X  Y  A  R  S
C  S  A  K  A  C  V  T  K  I  J  A  H  X  O
O  S  N  Z  D  W  N  K  V  T  L  H  T  X  L
```

CALL	KNOW	TRY
DECIDE	SHARE	USE
FIND	SHOW	WANT
GIVE	SPEAK	WATCH
HAPPEN	TELL	WORK
KEEP	THINK	WRITE

82 Cities of the Americas

```
O M S U K I W I R U T O A L Q
N A P O M L E B A U O T Y Q P
A N I R T R A F R Q A H B L O
S A R I I O R P T A E Z C R U
S G R E J C R T A H V H V R W
A U S N U S A A U Z I I E G N
U A S A A U B R T C G T Z S O
T C A J N C I B A B Z Y C B E
S T B E A J R G O C W S U I O
G M O D N A O T S G A T E B R
Y I M O S O T S U R O S N L R
A E P I A S T N E A A T C D S
U T L R U W A I A N A V A H T
J I Q Q W U W R U B O G A T X
A M I L Q S A A G Q P C R D U
```

BELMOPAN	CUSCO	NASSAU
BOGOTA	HAVANA	OTTAWA
BRASILIA	IBARRA	QUITO
CARACAS	LA PAZ	RIO DE JANEIRO
CHICAGO	LIMA	SAN JOSE
CUENCA	MANAGUA	TIJUANA

83 Plumbing

```
S S A R T O E U L P D C R H I
Y U Q T R G S R U M I I O O M
T W C W V R L M C A V T T W P
O S K C O C P O T S E F A O E
E V L A V H S U L F R A R L L
V A I I O E U T M T T C E F L
L O W S P Z K A S A E O A S E
A C E G P J I B R L R T Z S R
V S I O S R O T A I D A R O U
E N I S L R L I L C W L L R T
T P S O T Y N O N E K P W C X
A O C A R E S I R T M F P D I
G K T R O Y R O T A V A L T F
I R P J R U G N A M T R N O L
A D U I A N J V O I S L Y E W
```

AERATOR	ENAMEL	PORCELAIN
AIRLOCK	FIXTURE	PUMP HOSE
BACKFLOW	FLUSH VALVE	RADIATORS
CISTERN	GATE VALVE	RISER
CROSSFLOW	IMPELLER	SLIP JOINT
DIVERTER	LAVATORY	STOPCOCK

84 The Body

```
F S J P E C F W W F T E U C P
Z Q O D B N I S M M H E T E N
F T I O L V I F V N J E G L O
E P N C O E R L R R N A G L I
R P T I O R E O A P D J K M T
T F S R D T D G Y N G T M E A
E S K C P E E I E C E U T M R
E L U U R B O P G N N R W B I
R S L L E R P X D E E A D R P
N P L A S A U O S R S R F A S
R E M T S E N Y R I I T V N E
T C R I U S S M S T G E I E R
Y I U O R T U T T R Z R B O S
E B O N E M A R R O W Y I Q N
L N E M O D B A N A T O M Y R
```

ABDOMEN	BLOOD PRESSURE	JOINTS
ADRENALINE	BONE MARROW	NERVES
ANATOMY	CELL MEMBRANE	RESPIRATION
APPENDAGE	CIRCULATION	SKULL
ARTERY	DIGESTION	TENDONS
BICEPS	IMMUNE SYSTEM	VERTEBRAE

85 Quilting

```
R G N I D R A E B A B S U X O
X C A U K O A M P R T A X W E
E B S O P R W M O T I F G Z C
B A A B N S T D A D E W P M K
U S P T Z P E F Q A D L P W R
E T A P I M O M P E Q W Y W P
P I T U L K X I O R U Y E Q P
R N C U R I I X N H I Z T F J
T G H I A F Q G R T L R A M T
F A L B U M Q U I L T J L I E
K X T K R O W D E R U L P S V
K I O T G N I K C A B S M L T
U W P F U S I B L E S A E Y O
L N I A R G N I L P P I T S O
T T G T Q U T C Y R Q E B T A
```

ALBUM QUILT	FUSIBLES	PEARL THREAD
APPLIQUE	GRAIN	REDWORK
BACKING	HOMESPUN	STIPPLING
BASTING	MOTIF	TEMPLATE
BATIK	ON POINT	TIED QUILT
BEARDING	PATCH	WEFT

86 Last Names

```
Q M A R S H A L L O P E Z E H
P E A T T E R E X E I G J N H
H V A U G R I F F I T H S S P
R C K A Y N Q T O A Y A N R A
Y V R R J A O W A E B G P V P
L O A E O N T T S T S A T O P
R E L K N D O M L N Y R I E Z
T B O L E E R S W I W C P L A
L J S A S Z I I K A M I M A D
B R O W N Z L R G C X A U S E
L M W J M L H R E U A M H S O
X O F Y I O P A Q P E J Q O N
E E U A H B N H M A R Z M O T
U G M O O R E I A T D A V I S
P S T Q Z A A G L E T I H W N
```

BROWN	HARRIS	MOORE
DAVIS	HERNANDEZ	PATEL
GARCIA	JACKSON	RODRIGUEZ
GRIFFITHS	JONES	WALKER
HAMILTON	LOPEZ	WHITE
HARPER	MARSHALL	WILLIAMS

87 Words Beginning with "J"

```
V T N L A P A L Q Z A T C U O
R U S I T R H I S G J P T Q T
T G I A R L B A P Q P Z I A Y
B S S J E O P A R D Y I C R S
Q A R U O J A S M I N E B E T
C A M G I U J J R J O Y F U L
R K Q G I J R E P E I Q C O U
V C S L H A R N W S T G Y T E
B A J E E R T I A E A S G D X
W J U V I R A E S L L D E L A
O A R I Y I H G C U I R J J E
X P R J S N W F S I B S Y F Y
L M R J I G N I P M U J T V W
M Q A O G N I G G O J J K I R
E N G A X S R N L A Y S H A J
```

JACK	JESTER	JOURNALIST
JAIL	JEWELRY	JOYFUL
JARRING	JIGGLE	JUBILATION
JASMINE	JIGSAW	JUGGLE
JEER	JIVE	JUICE
JEOPARDY	JOGGING	JUMPING

88 At a Museum

```
S  P  S  B  T  T  T  W  A  C  R  D  J  K  V
S  C  T  O  D  P  A  I  N  T  I  N  G  S  E
N  D  I  N  O  S  A  U  R  S  R  R  B  E  N
V  O  B  E  V  B  D  A  P  T  Q  W  V  U  O
I  L  I  S  N  A  J  L  J  C  G  R  R  Q  I
S  P  H  T  L  C  A  W  T  A  G  W  R  I  T
I  A  X  Z  A  Y  E  O  U  F  S  O  T  T  A
T  H  E  T  C  N  U  N  O  I  F  M  P  N  V
O  C  I  A  A  R  O  S  E  T  T  G  L  A  R
R  P  S  T  G  R  S  D  O  R  N  U  D  K  E
S  E  C  U  R  I  T  Y  C  A  M  E  R  A  S
S  F  I  J  L  F  S  W  C  U  L  T  U  R  E
T  D  A  S  H  I  S  T  O  R  Y  U  S  W  R
E  S  U  Q  T  I  A  C  U  R  A  T  O  R  P
U  C  R  E  Z  H  P  S  Z  T  K  L  S  A  J
```

ANTIQUES	DINOSAURS	PAINTINGS
ARTIFACTS	DISPLAY CASES	PRESERVATION
ARTWORK	DONATION	SCIENCE
BONES	EXHIBITS	SECURITY CAMERAS
CULTURE	FOSSILS	TOUR GUIDE
CURATOR	HISTORY	VISITORS

89 Words Beginning with "In"

```
I W E M O C N I N L E T L O S
K N C T B S A I N D P A A S F
R A D O Z P T N S S O L R S W
T E J E S M T T S T P E N I I
O S T N E M U R T S N I U L M
Q O E B L D P O X H A V R E I
R A S R X A N D L L G I R E R
R Q N D E A I U A T I I Q T E
N E I R B T I C N S A E S N T
L A F E R O N T F T E U L N N
P K B N L N O I T A V O N N I
A I D N I N V O K E Y T U A N
R Y G I U A P N U C E B V F C
T R W T Z S W F E O T N U L U
P L U A J R R E L S P I B K R
```

INCOME	INLET	INSPIRE
INCUR	INNER	INSTRUMENT
INDEED	INNOVATION	INTEREST
INDIA	INPUT	INTERIM
INEPT	INSET	INTRODUCTION
INFER	INSIGHT	INVOKE

94

90 Exclude

```
R W Q T B A L S B R V E T I R
B O L I I E R O K P W L V P B
X A S Q N B Y N S D F I L O L
T B S F H C I A A E U X R Y J
I D E L O W O H R B C E O L V
I T H T I O J J O A A T K U S
O S T R A C I Z E R Z A C S S
W I H E O E X P E L P L I A R
Q L R J I H P P B E T O S F I
G K O E T T U O T U H S N D Q
O C W C B D Y S H U N I A K P
R A O T I U E A Q R K S K C H
S L U A E G F Y D U R T D T O
E B T U L W S F V S J V T A E
H E M B A R G O U S T T Q T V
```

BAN	EXPEL	REJECT
BLACKLIST	ISOLATE	REPUDIATE
BOYCOTT	OSTRACIZE	SHUN
DEBAR	OUST	SHUT OUT
EMBARGO	PROHIBIT	SNUB
EXILE	REBUFF	THROW OUT

91 Lyricists

```
S H V E A U M I B P O R T E R
L T K T D R P R P A D R I O G
I X A P N K T O W I R E E G A
L T V L O C V G W T L T E L P
J S R B T P E E R W E R R I P
R X D T P Y V B C U S A U T P
E A H Y A A R O A H T C C S G
R E L P L N E W W N T C I K S
X S Q T C A D I R A P Y E K D
M C C A R T N E Y E K R O Y L
P L E S Z I K L R V L U R E R
M E N I M E O C E S Y B M P S
C O H E N R S T A B O E A S U
E V L E N N O N R L E N Y T A
E M H I P S O N U R B S J W E
```

ANDERSON	COHEN	MCCARTNEY
BART	DYLAN	PORTER
BLACK	EMINEM	RUBENS
BOWIE	GERSHWIN	STILGOE
CARTER	HENEKER	TAYLOR
CLAPTON	LENNON	YORKE

92 Alternative Medicine

```
L Q A U H O M E O P A T H Y T
R X J Q I K M Y U T C K A Y P
A U P B G A D E V R U Y A H R
U C S L P G P S A Q P A Y T E
Y Y U L I R E I K I U P P A F
G H S P N G R T K G N A A P L
O T T B R M H Z Z O C O R O E
L A A A S E S T S N T W E S X
O P I O P R S I T G U G H I O
D O H J S O S S L H R Y T R L
I E S U S F R A U A E D I E O
R T G N I P P U C R B R P T G
I S F H Y D R O T H E R A P Y
A O I D T O R S W A D O E P T
X M T J G F R S J I N I U H Y
```

ACUPRESSURE   HOMEOPATHY   NATUROPATHY

ACUPUNCTURE   HYDROTHERAPY   OSTEOPATHY

APITHERAPY   HYPNOSIS   QIGONG

AYURVEDA   IRIDOLOGY   REFLEXOLOGY

CUPPING   ISOPATHY   REIKI

HERBALISM   LIGHT THERAPY   SHIATSU

93 Types of Pasta

```
L P V R X Z T W I S T S T V T
F N X L O Q V R R G M L B R R
A T W L A E G E Q A A L R T Z
O S R A T S N O O D L E S T T
G W S E C T A R V I Q H F I L
Z S P B A I I G E E L S U S P
F Y A J V O N N N T C G S C E
A A G S A R Z O I A N L I G I
S T H L T A O N C L O A L G Z
N Z E P E V I E C A E R L U A
O E T E L I U N U S M D I B X
B G T N L O I I T R Q U E Z T
B L I N I L L E T R O T L F I
I L L E C I M R E V L R L U O
R P U L W O I X F T X Z P A X
```

CAVATELLI	LASAGNA	SHELLS
FEDELINI	LUMACONI	SPAGHETTI
FETTUCCINE	NOODLES	STARS
FUSILLI	PENNE	TORTELLINI
GIGLI	RAVIOLI	TWISTS
LANTERNE	RIBBONS	VERMICELLI

94 Punctuation

```
X U Q H Q L T I L D E K V T S
Y H O E Y L T I H F O U U T T
W O U Z P P A B P F E I N H N
K L L I P S H S C U A S R D I
T R A B R E V E C C X C I E O
J L N L T L D Q N O E I U C P
E S Z O S I S P I L L E E T T
T I X D L J A D Q G F O R W E
P M R L A S T U A L M U N J L
T A A W T S O L I D U S R J L
G J J C R R H T E K C A R B U
S J A O R J W Q Z I R E Z O B
G K R M R O N W T R I C I J N
U S Z M L M N L F A C C E N T
A N G A V Z T Q N O Z O R W C
```

ACCENT	CIRCUMFLEX	HYPHEN
ACUTE	COLON	MACRON
BRACKET	COMMA	PERIOD
BREVE	DASH	SOLIDUS
BULLET POINT	ELLIPSIS	TILDE
CEDILLA	HOOK	UMLAUT

95 Aquatic Predators

```
H B U L L S H A R K E V S V D
S R E L A E S L A K I A B Q U
I E B K Z E Y E L L A W K K K
F P O W I H S I F N O I L B Q
R U X U F P A D K V M V L P S
E O J K T U N A R O A A S L E
G R E A T B A R R A C U D A W
I G L Z S R T A E K P L A Q E
T K L L R E Y P C H V O B T K
H C Y O W E O A R A T L E J A
M A F Z E F I B A O I R O L N
R L I L W M H S I F D R O W S
R B S S A W F I S H C K O N A
C T H N I L R A M A S U S P E
R P S O S U T N G J E T E H S
```

BAIKAL SEAL	LEOPARD SEAL	SAWFISH
BLACK CAIMAN	LIONFISH	SEA SNAKE
BLACK GROUPER	MARLIN	SWORDFISH
BOX JELLYFISH	MORAY EEL	TIGERFISH
BULL SHARK	NORTHERN PIKE	TUNA
GREAT BARRACUDA	ORCA	WALLEYE

96 Revision and Exams

```
M D P H M G S C I N O M E N M
G U E R A Z M E M O R Y H S L
I N L S R W L C O I T P A M A
L A I T K J T R Q T A S N E M
X P G N I D N A T S R E D N U
U R R I N P F L S E G L W T P
O E M O G A L R F U E B R A T
O S A P S W L E O Q T A I L P
N S D Y C B R P C E S T T B U
Y U Q E H T M A U H P E I L F
A R D K E P T P S T O M N O S
O E X A M I N E R D Z I G C B
Z T T D E S S S H A J T C K I
P M T W T I M I L E M I T E Z
G T Z S P A U Q K R R I I T O
```

DESK

EXAMINER

FOCUS

HANDWRITING

KEY POINTS

MARKING SCHEME

MEMORY

MENTAL BLOCK

MNEMONICS

MULTIPLE CHOICE

PAPER

PLANNING

PRESSURE

READ THE QUESTION

TARGETS

TIME LIMIT

TIMETABLE

UNDERSTANDING

97 Something Supernatural

```
X E T M T O S V O S W D O A M
T P R C S T L O K S G R K A J
T K Q T A S N W D P H P H I W
T F S T L A P R A I O E A G S
C E N F N I G E G R U Z L I S
Y A D Q A U V V C I L T L O Z
W J E O M P S E G T V O U A E
M U M M Y H P N D X E L C V T
U O O R E A W A T R R R I K S
R G N N G N I N R L H S N H T
A K G R O T T T V I I C A A T
G T B P B A S L H O T D T A S
E R W O L S E O N G O I I I P
J O L B O M J J H W I X O M W
F U R F R R R G R G T W N N U
```

APPARITION	HALLUCINATION	SPECTER
BOGEYMAN	MUMMY	SPIRIT
DEMON	PHANTASM	VISION
DEVIL	REVENANT	WARLOCK
GHOST	SHADOW	WIGHT
GHOUL	SOUL	WITCH

98 Shakespearean Characters

```
J A L E Y S M T A G S V O U R
L B B T X R P T J M K A G C N
B A N Q U O E M O R W G A C O
C T S U T E I L U J R B I U S
C R E S U I R T S Z C A H P
A L T C L E I R A U E K Y G M
L A W C I R V M U R L L T E A
P N F M B N D T O S O I U D S
H N V X O I S G X C U H O U R
G A G X S E A M K Z Z T I R W
Z C M V A T A N O G V D U T T
U S R L W S M A C D U F F R L
E D T A E U X L I A Q D B E B
R U R S O T H E L L O T K G A
M S C A M E R C U T I O W X F
```

ARIEL	GERTRUDE	MERCUTIO
BANQUO	HAMLET	OTHELLO
BIANCA	HORATIO	ROMEO
BRUTUS	IAGO	SAMPSON
CICERO	JULIET	SHYLOCK
CLAUDIUS	MACDUFF	TROILUS

99 On a Boat

```
U V C G P B R O P C L T M C K
F A U A I D T R P O A N R A T
V R Z N N Z A U A U Z P V N T
X Z A T I I Q A L R U I A R W
D A B J J S B T Z F R S W X K
U P D B F S T A R B O A R D S
T R E I S Q R T C O T L F A J
T O D N D L I S T E R N R E L
S P I N N A K E R A U M R H E
A E S A A S E L M S E M L K A
M L P C O Y I H H Y E L L A G
O L O L P N A A K E Z D C E Z
I E T E E R Y T R L K S W B H
B R I D G E L A W N U G E W A
X P H Y J K R A W L U B O W K
```

BEAKHEAD	CABIN	PROPELLER
BINNACLE	CLEAT	SPINNAKER
BOW	GALLEY	STARBOARD
BRIDGE	GUNWALE	STERN
BULKHEAD	HELM	TOPSIDE
BULWARK	MAST	WATERLINE

100 White Flowers

```
A  I  Z  S  L  O  D  C  R  O  H  A  T  S  R
A  U  Q  N  Y  J  S  A  N  G  E  L  I  C  A
M  A  J  O  B  L  A  O  O  G  Q  H  A  V  O
A  U  W  W  O  S  I  Q  G  M  Y  R  T  L  E
R  I  M  B  T  R  G  L  A  D  I  O  L  U  S
Y  V  S  E  A  M  P  O  R  D  W  O  N  S  T
L  P  R  R  H  X  I  A  D  D  A  H  L  I  A
L  N  H  R  F  T  N  I  P  S  A  Y  M  T  A
I  I  S  Y  R  G  N  T  A  I  I  F  H  A  D
S  T  U  D  E  X  A  A  N  R  N  O  F  M  Y
Z  E  R  A  E  S  O  P  S  Y  E  T  A  E  U
O  S  F  I  S  P  E  O  N  Y  D  B  G  L  O
E  A  E  S  I  K  A  A  R  X  R  O  R  C  Q
C  Y  P  Y  A  A  L  T  J  Y  A  H  F  E  W
O  V  P  A  H  Q  P  J  J  O  G  O  C  P  G
```

AMARYLLIS	DAISY	LILY
ANGELICA	FREESIA	MYRTLE
ASTER	GARDENIA	PEONY
CHRYSANTHEMUM	GERBERA	SNAPDRAGON
CLEMATIS	GLADIOLUS	SNOWBERRY
DAHLIA	HYDRANGEA	SNOWDROP

101 Brass Instruments

```
D O N W A S Y T R L S U W K A
L T C R Z V U V U Z E L A T Z
T D L K O M B U L C N C S R M
N S E N O H P A S U O S R U X
O R N H A A X P N H H R I M P
E P O E F V C A F R P N N P L
N F H H D X T I S P O U B E M
O R P I L J D M M H Z C I T T
B G O V C E Z A P B Z U S A U
M U L H E L G U B O A N F I R
O X L T O F E U H U J S D Q F
R I E G R T R I L S T P S A A
T K M J N S L O D F X C G O I
M T K X N A B A L E O H X R S
I B Y L S I S A Y S R J F H S
```

ALTO HORN	FLUGELHORN	SAXHORN
BUGLE	JAZZOPHONE	SOUSAPHONE
CIMBASSO	KOMBU	TROMBONE
CORNET	MELLOPHONE	TRUMPET
EUPHONIUM	NABAL	TUBA
FISCORN	OPHICLEIDE	VUVUZELA

102 Dog Toys and Supplies

```
U F H A K T L H L S T A E R T
R R O P E T U G G E R R K P O
F I R O B R U S H R A L L O C
S S R W D I R G W X I T E V E
U B L L A B E D R H N K R A M
S E R R L P O P I I I L P L U
K E N N E L J W E I N S Z T Z
S C Q T I D B B L H G G T Y Z
S U H R O O P M A H S A E L L
S H A W B O A R U N T H T Z E
R D T M X G N M F O I T E E N
L U Q P F E F L E T C X J E O
I L Z Q S N H W F U K X S O B
Q R J S T N A G X J H T I U S
A A S A O O A X A H T S K E S
```

BALL	FRISBEE	SHAMPOO
BED	HARNESS	TAG
BONE	KENNEL	TRAINING STICK
BRUSH	LEASH	TREATS
COLLAR	MUZZLE	TUG RING
FOOD BOWL	ROPE TUGGER	WHISTLE

103 Email

```
E A Q E O S P A M V E T R N A
E P Q A F A U A A O T P Z E F
D T S S K D Z C I D E C I S U
T L X R G L C R L A L O Y F T
T M R F J O S U B J E C T J A
L N T O U I L J O O D V I T L
I Z C N N V R E X W Y E R A T
B H T T K N C D T U O S O H L
H D W O L O W P R I O R I T Y
I Y L P E R S G D R A W R O F
A Q I E Y G E R Y Q I K P U W
A I N E I N A L Q T V S H T U
K B K A T F S F S D I T G B L
L V G S T O I L X O B N I O I
V F E H P I N D M G O S H X S
```

ACCOUNT

DELETE

DRAFT

FIELD

FONT

FORWARD

HIGH PRIORITY

INBOX

JUNK

LINK

LOW PRIORITY

MAILBOX

NOTE

OUTBOX

REPLY

SPAM

SUBJECT

URGENT

104 Units of Measurement

```
S O G Y E T U S M I P V T G X
L D R T M R E H T A N W S Z A
A C R E T E M I T N E C T E V
K G L A T T O O F L A R H S S
M S T E Y E U S A Z O P I C Y
R E S C X M M R R D B V S I V
S L E L U O J I G L E A T Y U
A I C R Z L P I L R R J S O Y
W M A V R I Z I S L C N S M F
Z B P A N K U A O U I R S D L
J S T T Y C U L I U C M O M B
U G S P Q E S O O S U M P V R
A M S S S P T L O A T L U U F
R B I Q L K I L Y E W S E N U
R F S P R M H I A E Y E T V I
```

ACRE	MILE	ROD
CENTIMETER	MILLIMETER	SPAN
FOOT	PACE	TESLA
INCH	PECK	THERM
JOULE	PINT	VOLT
KILOMETER	REAM	YARD

105 At an Auction

```
C N S U P O H L A T N P Y V I
F M J E C I R P Z U R B R Z G
I O P B V Y E M L O A M E A E
B Y U N T R Q L X S E L V T H
S R T T T E E Y D I U E O P P
L A S U B H B S A D L H C W O
Z R G R D I B D E L A E S X E
U H N O D D D T G R V P I D M
U C I D I S C O U N T B D L K
T A T E L E P H O N E B I D I
C T N I A G R A B D K L I Y I
N A I P E R U T I N R U F M H
P L A S I A R P P A A E P R L
F O P S N O I S S I M M O C A
J G L E P U V H U A T B U Q I
```

APPRAISAL	DUTY	PAINTINGS
BARGAIN	FURNITURE	PRICE
CATALOG	GAVEL	PROXY BID
COMMISSION	MARKET VALUE	RESERVE
DISCOUNT	OUTBID	SEALED BID
DISCOVERY	PADDLE	TELEPHONE BID

106 Literary Terms

```
A K P A I N S O S D S Q R W Z
O G N A L L I T E R A T I O N
G V H T X A X J A E C G P D O
R Y R H S I S P E L A N A E I
T V I B U E N J A M B M E N T
T N C S R U B S U T A I H C I
R E E I E F S O Y W R O O I S
Y J C C T I L J U O R F G O
T R P N C S P N P B Q Z S O P
L L E I A A O Q G F U J E L A
L K S G R N Y R O G E L L A T
Y M V A A U O R C Y N O R I X
P I D T H M L S M A T R C D U
W O Z I C P I R S N L I R L J
X Q R F L A S H B A C K Q S D
```

ACCENT	BAROQUE	HIATUS
ACROSTIC	CHARACTER	IMAGERY
ALLEGORY	CLASSICISM	IRONY
ALLITERATION	DIALOGIC	JUXTAPOSITION
ANALEPSIS	ENJAMBMENT	ODE
ASSONANCE	FLASHBACK	PARADOX

107 Bright Stars

```
N G B M R A L R U S R H I C M
R I T E I Q U N S Q A A A Z X
I M X Q N R Y T X R U S P K M
A N T A R E S W S J T W C F P
T U P L K A D U S O T Y E S K
L S X U L L O P R O C Y O N A
A X M A L I N L A U J O A L B
W K R H T S R E N Y T R D M I
L A A S R U W R R A C B C E
C I D S R X E I E U D Z R A I
K V Q I U S G G H T I B L A B
K E I R P E U O C A D I L F W
D G C I L L K C A N O P U S I
I A C U U A M A I S W V E A X
I A D S L A T E Y G A M J A T
```

ACHERNAR	CANOPUS	RIGEL
ACRUX	CASTOR	SHAULA
ALNILAM	DENEB	SIRIUS
ALTAIR	POLLUX	SPICA
ANTARES	PROCYON	SUN
ARCTURUS	REGULUS	VEGA

108 The Circus

```
O A Q T U O F A E Z S T D F W
G N I L G G U J S U V G M R E
O I K I A B S A L E B D N H J
S R O T A T C E P S G C A I L
T E R A R O L L M T V A T G R
N L S L C O U U O A R R C H O
U L T A R R U T A W G O T W D
T A R S S V O P J S N U V I V
S B A G R I U B E W R S P R Q
B K P Q Y S T N A H P E L E V
E K E L W M E I R T I L M I A
R S Z E Y T N S E M U T S O C
I R E W O L L A W S D R O W S
E U T S T L I T S T T D Q R R
U J I Y K A C T O T K R I O G
```

ACROBAT	GAMES	SPECTATORS
BALLERINA	GYMNAST	STILTS
CAROUSEL	HIGH WIRE	STUNTS
CLOWNS	JUGGLING	SWORD SWALLOWER
COSTUMES	RINGS	TRAPEZE
ELEPHANTS	SOMERSAULT	TROUPE

109 US Snakes

```
J R O P T R E W A G S S X G U
X H I I T N M S F R R M O H R
D A E H T A L F X E T T P P L
O O R W O B N I A R S T U L F
P S U H J E Y S S O L G R Q Z
U R R C G R A S S M U P L L K
R Z E A S T E R N C O R A L P
U T H O O S N R O C A O P A W
J Z P C G B M E E D T R T E V
V I O B Z I Y B E N Y A L H R
F P G T L J D S R U D C L E R
C X X K Y G Q N O O Q E W W T
K U M R S S Z B I R W R N Z H
E X I S Z A A L U G L N I I A
S I P T A I T R L U T Y J K L
```

BROWN	GOPHER	QUEEN
COACHWHIP	GRASS	RACER
CORN	GROUND	RAINBOW
EASTERN CORAL	INDIGO	ROSY BOA
FLATHEAD	LINED	SCARLET
GLOSSY	MILK	SMOOTH

110 In Prison

```
W F G O K C A P T I V I T Y F
E C D E T E N T I O N J N Y Q
N O I T A T I L I B A H E R T
I N V T E A O P S I L I M P Z
T V X V N D A B L F M E H T K
N I S A K E R I I U R E S J P
A C I O R S M E L J O B I I I
R T N S C A X N S I F O N I V
A I J H O E N A R T E U U S A
U O L L R L L J C E R S P O T
Q N F C X E A L F Q T A R T S
G R I F H R E T R A I N I N G
R S E D U C A T I O N S I N H
E L A A E C U S T O D Y T S T
K U O E U S E N T E N C E Z H
```

CAPTIVITY   EXERCISE   REFORM

CELL   INTERNMENT   REHABILITATION

CONVICTION   ISOLATION   RELEASE DATE

CUSTODY   JAIL   RESTRAINT

DETENTION   PUNISHMENT   RETRAINING

EDUCATION   QUARANTINE   SENTENCE

111 Computer Programming Languages

```
A L U M I S K A R N S M A I A
J N A E F O B J E C T I V E C
L H N C I S A B A D G R E S I
R S U X S G L L E K S A H F R
G P Y R J A R L O G O N I L S
S U W L R E P N Z S U D J Z L
Q E Z I E H F O R T R A N O R
Q L F I I L W H U R V F T P V
J U H B X E A T B A M C A B J
R B R T R Z F Y Y X K C Z D R
J Z I S U S I P R O L O G L A
T F O C A Y H D P S F O L Y V
T D H R S P A U X G A O B R Z
R H S H V W K P R U T T M O U
O R K U L R A O I O T F S J C
```

ADA	HASKELL	PERL
ALGOL	JAVA	PHP
BASIC	LOGO	PROLOG
COBOL	MIRANDA	PYTHON
DELPHI	OBJECTIVE C	RUBY
FORTRAN	PASCAL	SIMULA

112 Golf

```
T L I K G P S B S L I C O U F
O T C Q I H K X A I Q P R R T
E W T H A D B R K Y P S H M H
I X S N W I T A E S O F X W B
S W K C R V A P L D X R T Y Q
T R N D P O P I P H L A N Z R
N R I O Y T C H F L I A T J C
L E L G A E I C L S E I U W S
Y K E D A F G R L I U I F T R
C N E R S E K O O H O L E I P
Y U T C G Q F Z B J S K D B J
B B W V A T U C E Y L A I R T
R E O Z G N C E C T J O E Z S
B E M J R Z Z Y X L T A D Y D
J S O W O I S E R X I R Y A A
```

ACE	DIVOT	LINKS
BIRDIE	EAGLE	LOFT
BOGEY	FADE	PAR
BUNKER	GREEN	SHANK
CHIP	HOLE	SLICE
CUT	HOOK	TEE

117

113 US Vice Presidents

```
Y E U H I P X F E R E A C Q Z
W E N G A S B X V N I E Y R Q
E C N E P A H E U G D U E O S
A R G E R Y X L X H U O Z U N
N D E K H I A K A E A R S A N
W A L L A C E L V B C R I S E
S E M E L A D N O M O F T X H
Y J H R R E N R A G J P R L B
V O Q O E Q F S A X T G Q U R
U H U M P H R E Y G T F J I V
C N A U Q B S J K M O O H P S
V S Y H I G R R P C U R T I S
B O L D A W E S B M O D E A E
R N E A A T L L A H S R A M E
C N U T N V B T T F Z S R A C
```

AGNEW	FORD	MONDALE
BARKLEY	GARNER	PENCE
BIDEN	GORE	QUAYLE
CHENEY	HUMPHREY	ROCKEFELLER
CURTIS	JOHNSON	SHERMAN
DAWES	MARSHALL	WALLACE

114 Jamaica

```
G W W L A Y O R T R O P S S D
C L F A L M O U T H T K G A X
A R Y B M E E R O M T R O P R
R U E L O E W E I T L R O O Q
I S L A N D C O U N T R Y R G
B A R C K O K B P E T S A T Y
B I A K R J O I A A T O U M A
E N M R I T A G N E F V Z A B
A B B I W Z G T A G O A R R T
N O O V H E O X E L S D S I N
S L B E R N J X C U E T S A A
E T L R I F T R U U M U O L R
A X Y O H A N B L A K E L N O
R T M O N T E G O B A Y I B M
M G E Y P V J Y C B B I I W E
```

ASAFA POWELL	ISLAND COUNTRY	PORT MARIA
BLACK RIVER	KINGSTON	PORT ROYAL
BLUE LAGOON	LUCEA	PORTMORE
BOB MARLEY	MONTEGO BAY	REGGAE
CARIBBEAN SEA	MORANT BAY	USAIN BOLT
FALMOUTH	PORT ANTONIO	YOHAN BLAKE

115 Shapes

```
E R N O G A N O N I F L R A X
K L O Z N N Q P S X I K D C C
S U G S O O R A E Z D C I L O
R G A N G G X R F Z I E A T N
L H X O A A R A H R L R M D E
J G E G S T V L C O E P O L R
A S H Y O P C L M T M D N F M
R T K L C E E E A Q E B D R R
Q X Y O I H S L R C L W U A N
C T S P J P I O A X G T B S S
E O B B I R S G T P N Y I Q E
A L A L D E O R I G A P O U L
I S L A F N W A I Z I T J A A
S E U P Y R A M I D R D S R C
T Q V T S E R R F P T H L E J
```

CIRCLE	HEXAGON	PYRAMID
CONE	ICOSAGON	QUADRILATERAL
DIAMOND	KITE	RECTANGLE
DODECAGON	NONAGON	RHOMBUS
ELLIPSE	PARALLELOGRAM	SQUARE
HEPTAGON	POLYGON	TRIANGLE

116 Wasps

```
R V T T O X N N R D L Y T L I
A Y M C U C K O O L E J R A C
F D I B E Q H M R L A Z H U H
X A P A P E R M L W D D A W N
R Z O Q A R M O K O E I D R E
A U L P K A W C N O N G G U U
K T L I S J R R F C S G I S M
D T E O A T T K U A P E D A O
Q R N C R T E G T D I R R E N
A L K A C Z N E T R D Z W V A
E E R T I L R R U B E R O S I
T D U R I C O M O T R T U A D
S C L S O H H A F H H U T X E
B S G P P R B N X X S R I O M
G V A B C A R V V Z Z X M N P
```

COMMON	ICHNEUMON	PAPER
CUCKOO	LEADEN SPIDER	POLLEN
DIGGER	MASON	POTTER
GERMAN	MEDIAN	SAXON
HORNET	MUD	TREE
HORNTAIL	NORWEGIAN	YELLOW JACKET

117 French Presidents

```
X Q V M A C R O N U R B E L S
Q L J X Y E P L A B N L O Z F
U J H A Z P D H O L L A N D E
W N C R O O O N T U E W O S M
S U L A K M A H A A B I Q A R
O I A C R P Y G E R F E L A R
U H H A A I E I E R E H T R U
V E G R S D H R T C F L R T X
R O T N X O X C U X Y P L H B
B E A O Y U E I L A N V T I E
T A M T N K T E L R F W E E M
V D A U R I O L S E E T A R P
S P W C O T Y A P I Q G D S G
A L T U N D Y R A V R P H T E
E E S Z G P N H H O N L T T M
```

AURIOL	DOUMER	MACRON
BONAPARTE	FAURE	MILLERAND
CARNOT	GREVY	POHER
CHIRAC	HOLLANDE	POMPIDOU
COTY	LEBRUN	SARKOZY
DE GAULLE	LOUBET	THIERS

118 "All" in All

```
E C L U D X U I P P U R T T I
R T R S E Y A S R S P Q J U W
H T I X W D M F N L Y D G M E
R T H L O A A F T V F J J X S
Y C H A L L E N G E T S C B U
L P O L L A C S S Q T D G L T
L Z E I A L N Z B H I X O S M
A R B S H R M R P S Y M O R R
G L O H K R B A A Y M E S K J
E U U A N A E L R C O W S K D
R L T L L F L A A K A L L A L
S H A L L O T Y L L A U Q E L
R Y O O W S U O L L A C D A T
Y O S W B R O O A U Y L L A R
N M P L F I W X X A T M T Q R
```

BALLOON	FALLIBLE	REGALLY
CALLOUS	HALLMARK	SCALLOP
CARNALLITE	HALLOWED	SHALLOT
CHALLENGE	PARALLAX	SHALLOW
DISALLOW	RALLY	SMALLER
EQUALLY	REALLY	SWALLOW

119 Chess

```
M H V F I I H D T U K I U O A
M S Z T F J J E R A T U R Z L
B Y A O D A L C P A A T K R R
G T R S B P U O B L Q J N P R
N K R E A E P Y C R L Q O P R
E G A W T E G C Y P E E T E A
P I N B N T I E U M Q G T S D
R C K I T N A S S A P N E S A
O X N S L T I B M A G A H G T
X G E H E T A M K C E H C D S
I N E O U I S N O N A C N H W
M I U P K A I A A F O X A Q P
A K Q Z A G I G C S A E I S V
U H T S H G P N K E L I F E P
T H U T M B H Z X I T J J W S
```

BATTERY	EXCHANGE	KNIGHT
BISHOP	FIANCHETTO	OPENING
CASTLING	FILE	PAWN
CHECKMATE	FORK	PIN
DECOY	GAMBIT	QUEEN
EN PASSANT	KING	RANK

120 Champagne

```
P L W D T L T U T A V S G H I
F E Y F A S K L G C I U E L U
Q Y T B I R A N N K R M A Q A
B A G A U Z N O S N A L R U E
H R Q G Z B Z A T R L U O M H
I T C J S B B Y T I B T B U I
V J L H T M V L E C N L X M S
T A O C R A T R E I C R E M F
T R U N E X P E N S I V E E T
L E C E G A T N I V O Y C R P
W W I R O J A Y E S O P A G E
I M A F R E I T T A C Y R S O
H B O L L I N G E R K U E Q H
C A X N O I T A R B E L E C X
W L S S P I N K B T L M J L Q
```

BOLLINGER   FRENCH   MERCIER

BUBBLES   GRUET   MUMM

CATTIER   HEMART   PINK

CELEBRATION   KRUG   POL ROGER

EXPENSIVE   LALLIER   TOAST

FIZZY   LANSON   VINTAGE

121 Songs of John Denver

```
U I N I A G A E V O L E V C I
S T A I T A M A Z E S M E M K
I W H J A H U S T U I W S G M
S I E I W G E O Y S A O U N R
W P R E S N A W Y A R L C O F
H L E V T O A E E R H L R S J
P L W O I S L T Y I O O I N T
A X S L Y D U D O B G F C E U
R A K S B A N R G S D H F D E
G X S P A S W A R U P O T R P
O R L A B A U A D E I Y O A E
T I W H R E I P Y A N T L G O
U R N R O K S T R L T D A A L
A T S E F I Z S W R F U E R C
P W R P B L U E G R A S S R R
```

AUTOGRAPH	FOR BABY	LIKE A SAD SONG
BLUEGRASS	FOR YOU	LOVE AGAIN
CALYPSO	GARDEN SONG	PERHAPS LOVE
CIRCUS	GOODBYE AGAIN	SWEET SURRENDER
FLY AWAY	I'M SORRY	THE WEIGHT
FOLLOW ME	IT AMAZES ME	THIS OLD GUITAR

122 Online Auctions

```
E S V O K I N Y K W L L U S E
X E E O U R C S C W R I P U M
J L T Q P C S V A O E A H T G
T P S R S L A T B F Y S A N K
C I A S W X C T D M U E U E J
W G Y E F H I T E F B C Y N A
Y G N C L U S N E G J W J N P
A N T I Y H T X F M O C N V O
R I S R P P D L E R P R H R S
O T I P E I B I D V P L Y B T
U S L D N S N E J T I S A J A
E I H E N R E S E L L E R T G
J L S X K O Y R E L L A G C E
R H I I L F X X V T E N O G V
A M W F O F F E R E F U N D A
```

BID	KEYWORD	RESERVE
BUYER	LISTING	SELLER
CATEGORY	OFFER	SNIPING
FEEDBACK	PAYMENT	TEMPLATE
FIXED PRICE	POSTAGE	WATCH LIST
GALLERY	REFUND	WISH LIST

123 Fashion Design

```
N R D A R R E U T O H N P T S
Z L E E D S L X F O A O U T U
V R S S E R T S M A E S X S E
F V I T Q O E E K R S Z Z A K
S T G H C T V S X E O E S Z I
S M N E O A S A S T Y L I S T
R J E T A R S T N M I S I E A
A F R I O T O H R N A L S A B
Q C U C M S B D M R T K E R T
S U R S A U M E O E P L E S W
P T C Y H L E G D T R U B R Y
T D Y T L L V S E T R E N D S
O E K L B I U P L A I U Y P Z
B Y C O L E C E R P T H E D Z
Y S Y F S P B E A C B P E R I
```

ACRYLIC	DRESSMAKER	PATTERN
AESTHETICS	DYE	SEAMSTRESS
BATIK	EMBOSS	STYLIST
CASHMERE	HUE	TAILOR
CUT	ILLUSTRATOR	TEXTILES
DESIGNER	MODEL	TREND

124 Beyoncé Songs

```
L D K Q R W E V A A I R I P S
S T D L I O V I J O R A R K S
L A R J N R O D E S R T R S O
O V U A G K L E R U P S E M R
G P N E T I N O U M I A P A R
P R K Q H T I P N M L N L E Y
X E I V E O Y H T E K O A R I
Z T N I A U Z O H R R G C D P
V T L H L T A N E T Y N E T R
M Y O B A E R E W I F I A E T
P H V E R L C U O M D H B E A
A U E J M A O I R E D S L W T
A R S I N G L E L A D I E S E
W T E U P G R A D E U W V U R
T S U L K A L L N I G H T A H
```

ALL NIGHT

CRAZY IN LOVE

DIVA

DRUNK IN LOVE

HALO

IF I WERE A BOY

IRREPLACEABLE

PRETTY HURTS

RING THE ALARM

RUN THE WORLD

SINGLE LADIES

SORRY

SUMMERTIME

SWEET DREAMS

UPGRADE U

VIDEO PHONE

WISHING ON A STAR

WORK IT OUT

125 Star Trek Characters

```
T W E T S A F E Z L C V A A T
I U E G O B F R A W H V O E R
W E I S T E Z R I D A X K I L
R L W O L V Y L O S K N K B L
D L V Q A E L U R W O I O D O
V U Z K Z R Y S Z Q T D V Z I
D E O T I L U C R F A A U R H
W I N K T Y I H R L Y T T T C
S B E J S C W R U U S A R E K
T R O L A R E N K A S P O C K
A N A N I U G V R H T H T T I
R X V G T S R O A F X O E U U
F N O X R H T Y U M X W Y R U
A O L O R E A P Q U I C G N P
A L P K I R A N E R Y S Y X J
```

BEVERLY CRUSHER	LORE	SPOCK
CHAKOTAY	NYOTA UHURA	TASHA YAR
DATA	ODO	TUVOK
EZRI DAX	QUARK	WESLEY CRUSHER
GUINAN	RO LAREN	WILL RIKER
KIRA NERYS	SAREK	WORF

126 US First Ladies

```
V E L I L C A V Q R S S I B R
W J D B P T X D T P X T X L U
L E S W W R T S Z R A H L J L
P T L I M S Y D T T P S X S I
L R M C A V D W Z N T A R A D
L T E X H Z P A Y N E J H A F
A N T P D D T Y M E O D T R I
Y O O E O V W L L H R D I A X
N S D T R O Y E N Q Y H M K O
K N D H E Z C S E M M Y S N T
P I U H P L O D U R O L Y A T
I B S T S N P Q U T B S W V I
N O E C R E I P O W E R S S O
A R M L O P W Q A K Z Z I W P
T W N H O O T U O F A P R T R
```

APPLETON	PIERCE	SMITH
COOPER	POWERS	SYMMES
DENT	ROBINSON	TAYLOR
JOHNSON	RODHAM	TODD
KNAVS	RUDOLPH	WAYLES
PAYNE	SAXTON	WELCH

127 Ancient Greek Writers

```
O V S U P P I X E D A A N A T
U U K T O H G U R O H C L H J
F T W Y C E I S E U W J E I P
S U I N A B I L R S A P O M I
U N R W L R T Q O T I J B E A
N O A N G F I P H C U C H R N
I I H N P J H E L G L E T I R
T N T V T O N E X E R E O U X
O A S X C A S F I O M V S S L
L L A L E L G D D I T A B A S
P I E U U D E O D Q A A G P L
T S S A O M T O R T P E H P C
E U A Q U U R H Z A A O S H L
E A N S S U L Y H C S E A O X
S R M R S E N A H P O I D O P
```

AESCHYLUS	DEXIPPUS	MNASEAS
AESOP	DIOPHANES	PHILOCLES
ANTAGORAS	EPICLES	PLOTINUS
ARTEMIDORUS	HERODOTUS	SAPPHO
ATHENAEUS	HIMERIUS	SILANION
CLEIDEMUS	LIBANIUS	SOPHOCLES

128 Author John Steinbeck

```
Z S S T O X J V P R D E F P Z
N A S A B D Y S A N I L A S U
D O P N U Y H C E N L I C A O
E L I A K A Z A N C A T R Y N
J D O S T Q G E O R G E E T R
X J R G S A L N R P L R Z S S
I T I O F E W F J O R A T X S
C A L I F O R N I A A T I Q O
A O W I R N P P G K E U L R L
R B O T U S A U E K P R U F P
R E B I E E J T C D E E P S O
D F T P U K L I S Y H G L G T
R I S I L T R R O H T U A P Y
U L U T R D O O W Y L L O H O
U I D C E W T H R T R S K M T
```

AUTHOR	ELIA KAZAN	PULITZER
CALIFORNIA	GEORGE	SALINAS
CUP OF GOLD	HOLLYWOOD	STANFORD
DEPRESSION	LENNIE	THE PEARL
DUST BOWL	LIFEBOAT	WRITER
ED RICKETTS	LITERATURE	ZAPATA

129 Suspension Bridges

```
I Z E Q A M J I R W O I N T L
N I Y G N A I J P V I R T S R
X I H O U M E N Y R A U O X C
X X I L I N G S E I X N A N T
J D J D T J J Y M L G Y H O X
I G S E F O R T H R O A D E Q
S R Z N T I S E V E R N F E E
O E T G S S Z M V D T G P K V
O A K A S H I K A I K Y O I S
E T X T I S U N R C R F R A H
A B S E S Z G M G E K U T H A
A E M Z T E H U B M N I D Z H
A L L W R R W O S E A F N I S
I T S U P G N A U H R E Y A S
Z Q M A T R S G K U B S E E C
```

AIZHAI	HUANGPU	SEVERN
AKASHI KAIKYO	HUMBER	SI DU RIVER
FORTH ROAD	JIANGYIN	TAIZHOU
GOLDEN GATE	MACKINAC	TSING MA
GREAT BELT	NANXI	XIHOUMEN
HARDANGER	RUNYANG	XILING

130 Water Birds

```
E L X P E M T K X V T U S R O
V S H E L D U C K G I Q S A I
N G L L I B R O Z A R R T G S
I G J K U V N I T R S W O T A
T M O C B P S R C C Z D R X A
S G G U K A T O G T W D K R R
E D N R U O W H I M B R E L
H Y I N D T N I T C O P R D L
A T M A T J E R P T L N U S A
P U A C S R E T A E R G I H W
M S L I E D F E B R N O L A D
B L F X H S P A V N P G T N A
A I R E P I P D N A S T U K G
V A A M N T S R I P U F F I N
L D H S P A L O I L U R I A N
```

ARCTIC TERN	MEXICAN DUCK	SANDPIPER
COOT	PENGUIN	SHELDUCK
FLAMINGO	PUFFIN	SNIPE
GADWALL	RAZORBILL	STORK
GODWIT	REDHEAD	TURNSTONE
GREATER SCAUP	REDSHANK	WHIMBREL

131 Theater Parts

```
N  E  N  I  N  A  Z  Z  E  M  S  L  X  T  J
P  T  I  P  A  R  T  S  E  H  C  R  O  W  A
E  K  A  R  A  P  R  O  S  C  E  N  I  U  M
P  F  T  U  H  R  R  F  S  W  O  V  L  C  R
E  P  R  X  D  F  O  O  T  L  I  G  H  T  S
W  L  U  O  E  I  E  S  N  C  O  N  L  V  K
M  D  C  S  N  D  T  G  S  X  B  G  J  L
W  E  Y  R  L  T  U  O  A  R  T  B  B  S  Z
I  E  T  R  I  L  O  B  R  T  U  A  R  Y  J
I  J  E  S  E  C  A  F  E  I  S  M  G  H  O
I  X  F  R  Y  L  R  T  H  P  U  K  P  E  E
E  R  A  N  C  S  L  E  S  O  T  M  C  N  L
J  S  S  O  E  Q  Y  A  P  S  U  I  R  A  B
F  A  N  P  P  Y  X  L  G  P  J  S  S  O  B
A  Y  G  M  A  E  A  T  F  J  U  O  E  V  A
```

APRON STAGE	FRONT OF HOUSE	RAKE
AUDITORIUM	GALLERY	ROSTRUM
BACKSTAGE	LOBBY	SAFETY CURTAIN
BALCONY	MEZZANINE	STALLS
FLY SYSTEM	ORCHESTRA PIT	UPPER CIRCLE
FOOTLIGHTS	PROSCENIUM	WINGS

132 Penning Poetry

```
Q S S M W P L G N I M Y H R K
Q R S C X F R E E V E R S E I
L P S E L I M I S O N N E T X
E Y E Z Q I F T A Y A L A E T
H Q T P X S K W A Y P K A M A
A R R C K O M I X M G N Y A K
C R N I A R F E R N A M I T C
S I U T O D R C T M U K U P I
I T O S U P E N T A M E T E R
U R S U E P A A D E P A I H E
Q U A T R A I N D K L H P S M
R U K I A H C O G P Y P O J I
S F Z A P N J S S L N Y U R L
T T L O G W Z S C A N S I O N
P I R I Y R D A L L A B S A C
```

ASSONANCE	HAIKU	REFRAIN
BALLADRY	HEPTAMETER	RHYMING
CAESURA	LIMERICK	SCANSION
COUPLET	METAPHOR	SIMILE
DACTYL	PENTAMETER	SONNET
FREE VERSE	QUATRAIN	STANZA

133 The Caribbean

```
T R S O C I A J D A A B F R A
T E R E D O N D A D A N E R G
J B S L O P S A G M E E R H B
P S L T R G X S O G A B O T R
J L D O M I N I C A N I Z T Q
Y S N S A M A H A B T O C I S
G U A D E L O U P E I S U A D
I A L R H A H N T F G O V L G
M T S L U V D A T T U D T L C
T I I S A D C U B S A A E I R
T V D A A Y N L B U E B A U I
B T R W H V S O S R R R P G I
T R I N I D A D H U A A R N S
Q F B S T I L N Y D I B H A I
J U K R S U V K C U D T Z V T
```

ANGUILLA	BIRD ISLAND	JAMAICA
ANTIGUA	DOMINICA	MONTSERRAT
ARUBA	GRENADA	NAVASSA
BAHAMAS	GUADELOUPE	REDONDA
BARBADOS	HAITI	TOBAGO
BARBUDA	HONDURAS	TRINIDAD

134 Words Starting and Ending with Vowels

```
O W S S R S U O O E E L O E A
A U V I E G T Z L D T F A L R
R R R L G H W Z I C N W O J S
A E T I S W G M L S A Y I M R
X P O E R O J U L K R U A L G
V T C D A F L Z S L O M T J L
Q I J R R E V O B A U D I O M
D D K I T P D H L I G D M L F
O Z H E L T M I F G P E X P E
O A X E P I B J T L R R S D F
C Z Y Q A I M A G O T A E A W
E R R O I J I A D O M I M U O
L O R A R T X E G W P P U D N
B Q E N A B T E E E L C N U U
A R O R U A Q U T E T L H P A
```

ABLE	AUTO	IGLOO
ABOVE	EMU	IMAGE
ALIBI	ERA	IMAGO
AMPLE	ERODE	OWE
AUDIO	EXTRA	UNCLE
AURORA	IDEA	USAGE

135 Bands of the 1970s

```
Y D N O M A I D L I E N L D E
B E I Q S I S E N E G P U U S
R E L H U N V D T I D S D X A
E P F T L E D R H A E B S P T
A P P I L L E Y O E L E R I S
D U P M P D U N T A S E J K K
Y R E S L S S Y C S R G T M N
O P Z O U E H K H R E E H J I
L L D R G G S S O R T E I T K
F E E E R A A D C T S S N Y E
K C L A B B L R O I I W L A H
N S B B I T C Y L E S W I J T
I L A F X A E N A O Q S Z Y R
P T R G O H H Y T T A L Z I U
H O M E S C T L E H M F Y R I
```

AEROSMITH	HOT CHOCOLATE	QUEEN
BEE GEES	KISS	SISTER SLEDGE
BLACK SABBATH	LED ZEPPELIN	SUGARLOAF
BREAD	LYNYRD SKYNYRD	THE CLASH
DEEP PURPLE	NEIL DIAMOND	THE KINKS
GENESIS	PINK FLOYD	THIN LIZZY

136 Prehistoric Times

```
S T C L L Y B E A E A G N A P
Y L R I I E Y R E G A E C I H
N R E L H S D W O A S P N A B
T N G N M T S O Q N Y A S I I
R O A O Y S I O P O Z L R B E
A I E I S L T L F R V E U A B
E T N T R O N L O I F O A A I
V U O C U B E Y S E R L S G R
A L T N A P M M T L N I O D E
C O S I S J E A Z S C T N B P
K V L T O H V M C T I H I U T
T E P X R A A M O E S I D U I
W R M E E S C O X H R C U C L
Y D A C T B L T R G E P U T E
R X O D P S S H E A G P O A S
```

BASIC TOOLS	EXTINCTION	PANGAEA
BRONZE AGE	FOSSIL	PRECAMBRIAN
CAVE ART	ICE AGE	PTEROSAURS
CAVEMEN	IRON AGE	REPTILES
DINOSAURS	NEOLITHIC	STONE AGE
EVOLUTION	PALEOLITHIC	WOOLLY MAMMOTH

137 Fairy Tales

```
B M I R O N J O H N E T M P H
W L K G A T H E A N G E L B O
T H U M B E L I N A R I F B K
M T D F G Y M P S T P K Y U R
F A H A B O X E E L T S X T I
M Y I E P E Z T L U H E B T G
U M N D I P A U A S E T S E J
F U T O M M L R N D P D N R T
A A S H O A P E D L I Y O C U
I U G Q E M L P G O L W U D
R G Z C R O E E R R K A W P X
B E S A Q M W H E I I Y H D X
R A P U N Z E L T N N M I N T
O L O R D P E T E R G C T L L
W C I N D E R E L L A X E T S
```

BLUEBEARD

BUTTERCUP

CINDERELLA

DAPPLEGRIM

FAIR BROW

HANSEL AND GRETEL

IRON JOHN

LORD PETER

MAID MALEEN

OLD SULTAN

RAPUNZEL

SNOW WHITE

THE ANGEL

THE IMP PRINCE

THE MOON

THE OWL

THE PIG KING

THUMBELINA

138 Aristotle

```
W A M H K G R S R C H A N C E
A T L R R S E T P H G R I H P
O D S S I T T G S A O H C G S
P V O C A T H P X T L L O S S
T L J R I Q I O G W D V M C Z
I Z C Q B T C S O T E R A I B
C O X B I S S A M R N H C N G
S L A S R E V I N U M E H A Z
C P Z M O E P M U R E T U H I
I V O A I T E N I G A O S C Z
T P I E N N A M Z L N R V E D
I W B R T S Y L L O G I S M I
L N P D T R A G P O Q C L D V
O C B N W U Y S P W R D X U W
P C S O G R E E K U R N Y P L
```

CHANCE	MECHANICS	POLITICS
ETHICS	NICOMACHUS	RHETORIC
GOLDEN MEAN	ON DREAMS	SOCRATES
GOVERNMENT	OPTICS	SYLLOGISM
GREEK	PLATO	UNIVERSALS
LINGUISTICS	POETRY	VIRTUE

139 Body Language

```
K Z E V C O M P L I A N C E A
K S E R U T S E G S G G L V P
B I G Y U A E H Z I G N O I A
T G N N E T I L Y S R I S S A
F N I E I M S O L B E R E N S
R A N P S L O O J S S O D E Y
O L O O G I E V P O S R N F M
R S I X R L C E E Y I R N E M
R I T M B A T S F M V I P D E
L V I D I S P L A C E M E N T
P N S U O I C S N O C N U U R
F F O L D E D A R M S E T F I
Z A P A E S O Q R R L N H I C
M A Z Z U F I T Z S S S H A J
H P M T A L Q V F E C T S E J
```

AGGRESSIVE

ASYMMETRIC

CLOSED

COMPLIANCE

DEFENSIVE

DISPLACEMENT

EYE MOVEMENT

FEELINGS

FOLDED ARMS

GESTURES

KINESICS

MIRRORING

OPEN

POSITIONING

POSTURE

SIGNALS

TELLS

UNCONSCIOUS

140 Characters from Charles Dickens

```
R W E R R I I Q P J Z D F I S
J M A B E L M A G W I T C H S
E A V G T G N A N C Y S L J Y
D J J B S M D C P M Z B L O E
W M A O E G O O R C S A E E L
I X M B H P S J D G R R N G R
N P E C C N M E W L S E E A A
D E S R N I W A T R U T L R M
R E C A H G U E G O J F T G B
O H A T O A E C M H W Z T E O
O H R C J F S Z L M A K I R C
D A K H Q N E P O F I R L Y A
J I E I R E B M A B K C A J J
A R R T O M P I N C H T K S N
V U W E P A B I L L S I K E S
```

ABEL MAGWITCH	JACK BAMBER	LITTLE NELL
ARTFUL DODGER	JACOB MARLEY	NANCY
BILL SIKES	JAMES CARKER	SARAH GAMP
BOB CRATCHIT	JOE GARGERY	SCROOGE
EDWIN DROOD	JOHN CHESTER	TOM PINCH
FAGIN	JOHN WEMMICK	URIAH HEEP

141 Metal Ores

```
A M O A S J C M O V S I F A U
L U W G G P I F X G A L E N A
J T S I D E R I T E T N T E U
D S P H A L E R I T E I I D J
S K M D D O L O M I T E H A D
Q T M U S P P U A R T Y C I W
C S H E D C Y Z L E Z T A O K
C R Y A C N I R C V M O L R S
T F Y L Z A U N O A P F A W B
U L Z O V U L R N L R I M R A
X B P S L A R O O A U T U G U
C S A P P I N I M C B S R X X
Z S H E M A T I T E K A I T I
P C U P R I T E T E L N R T T
H L W I U E T I T E N G A M E
```

AZURITE	CRYOLITE	MALACHITE
BAUXITE	CUPRITE	PYROLUSITE
CALAVERITE	DOLOMITE	SIDERITE
CALOMEL	GALENA	SPHALERITE
CINNABAR	HEMATITE	SYLVANITE
CORUNDUM	MAGNETITE	WOLFRAMITE

142 Swimming

```
L I O M E G K S M Y Y G D U S
X N G M W R O S W T E M C V B
U A V S T L P M A P O O L I R
B C L B N W P G D S R T N S P
A G E U L A N E S K S I A S Y
I N N S V R L J S G E O A D G
K I G I I C E C B O C N B A A
M H T D L N R S A G T S U E R
J T H E I E T B C G M E T E D
S A J S W G K E P L V A T Y A
S E L T Y D D R N E I A E D S
Z R K R F U F I O S W R R I T
T B I O Q R U E V N I Z F U P
B A C K S T R O K E S T L W R
G W K E L D D A P G O D Y S U
```

BACKSTROKE	DRAG	MOTION
BREATHING	GOGGLES	POOL
BUTTERFLY	INTENSITY	SIDESTROKE
CORKSCREW	KICK	SNORKELING
DIVE	LANES	TRUDGEN CRAWL
DOG PADDLE	LENGTH	WATER

143 Found in an Airplane

```
P P Z I W U O K A M G S A R A
C A X S Y J S A A R E U S N L
S T I E G A G G U L K L E T A
S I R S K C A N S S E W N P Q
S C E A L Z S E A T S A O O L
G K W S I E A M E P E N H E L
P E E N N T N W A P R W P S I
R T E O B E I P L R F O D O F
U S R E G N E S S A P C A P E
I Z L Y D R F R S X O N E W J
S T X O S G E U C C N A H E A
S O W A A W T R K S Y L K A C
C S J T O L I P R R V R G F K
P I S V D R I N K S R T X J E
F L I G H T A T T E N D A N T
```

AISLE	LUGGAGE	SEAT BELTS
COCKPIT	MAGAZINES	SEATS
DRINKS	NEWSPAPERS	SNACKS
FLIGHT ATTENDANT	OXYGEN MASK	TICKETS
HEADPHONES	PASSENGERS	TV SCREENS
LIFE JACKET	PILOT	WINDOWS

144 Singer Madonna

```
L W M E S D R F H S L E O S A
H E X U C B R O Z Q C R T B T
I T M G S Q L I T S E P O L I
S O S O L I K E A V I R G I N
R A S V D O C U O S D G E S O
J S O A P E U L B E U R T S B
L U Y S F E V E R V E A O L A
G A M B L E R L S E C R E T L
Z T C P R O I U C R R R R R S
A R P U G N U H H Y O T L K I
F R O Z E N E Z G B T L P I A
M T N Z S R I E I O P W R S L
O T T I I U B A P D I Y W V D
W E Y S O O R M R Y S A T E I
Y R H P U S M R A W H T R S R
```

BORDERLINE	HOLIDAY	RAIN
CHERISH	HUNG UP	REVOLVER
EVERYBODY	JUMP	SECRET
FEVER	LA ISLA BONITA	SORRY
FROZEN	LIKE A VIRGIN	TRUE BLUE
GAMBLER	MUSIC	VOGUE

145 Words Ending in "P"

```
D F C R I D P R J S A S R E E
U T H O R F L Z S Y O X T H Z
E P A C E R P U T A R D G M S
T F M D J J Q B P W K G S E C
L P P H P A R S N I P Y H H E
K E I N O I K E K U R E E K P
I E O H H I L R L U S A E Y S
B H N X S D J P P B P Y P W U
T C S V I E J B A M T Y Z M S
I T H V B R L C P E U D J C U
O P I E H Z K T R A C R A R R
T S P R C D H E T K R R T I P
O R L R R I Y T A P M O P M
C E R O A S V K T U B E R P U
X I P E K O B N A Y F S D L B
```

ARCHBISHOP	CHEEP	SCARP
BACKDROP	CROP	SHEEP
BATTLESHIP	PARSNIP	SWEEP
BUMP	POMP	SYRUP
CHAMPIONSHIP	PULP	TRUMP
CHEAP	RECAP	USURP

146 Knitting

```
S  Z  S  C  D  M  R  O  M  G  I  R  G  M  L
T  Y  R  M  N  M  A  E  S  P  O  A  O  P  L
E  F  P  M  H  R  H  V  H  I  Z  S  D  H  E
M  T  F  N  C  M  C  C  O  Y  N  I  E  C  M
S  O  L  O  T  O  T  R  R  A  X  S  T  B
T  N  S  T  I  E  I  O  T  K  L  R  O  I  R
I  K  C  S  T  S  T  C  R  Q  T  N  N  T  O
T  P  O  A  S  A  S  H  O  U  D  D  E  S  I
C  I  U  C  K  T  P  E  W  A  I  K  D  Y  D
H  L  C  H  C  T  I  T  S  N  I  T  A  S  E
T  S  H  A  A  J  H  T  G  R  C  Z  H  I  R
U  W  I  L  B  S  W  O  C  A  O  R  K  A  Y
U  E  N  I  L  E  F  I  L  H  U  L  O  D  O
I  V  G  T  R  F  L  S  E  M  A  G  O  U  S
C  H  D  T  Q  H  Y  W  T  P  I  T  E  C  R
```

BACKSTITCH	DAISY STITCH	SEAM
BINDING OFF	EMBROIDERY	SHORT ROWS
CAST-ON	GAUGE	SLIPKNOT
COLORS	LIFELINE	STEM STITCH
COUCHING	MOSS STITCH	WHIP STITCH
CROCHET	SATIN STITCH	YARN

147 Summer

```
L E A I S D A A D Z R R L Y O
U Q N O I T A C A V Q H T Y R
T X H I K I N G U U O P T A O
A D S S H P X L G S B E A C H
C F Y X R S H O U P P U T T E
M I S R J O N L S I G C F G S
N J U L Y S O U T E G E M N O
T R N X Q Y I D S P S B I I H
A R G T H V T S T T A R Y M L
A L L E U E A F I U A A N M N
P A A J D R X V X S O B T I J
A T S U N B A T H I N G T W R
T S S N Q L L O N G D A Y S H
N A E E S A E Z G E V F T A T
O R S H T M R A W Y T T O K B
```

AUGUST	JULY	SUNGLASSES
BARBECUE	JUNE	SUNSHINE
BEACH	LONG DAYS	SWIMMING
FESTIVALS	OUTDOORS	TAN
HEAT	RELAXATION	VACATION
HIKING	SUNBATHING	WARMTH

148 The English Language

```
D E F I N I T E P A K H P Y I
T B B N K M T M P K U E P E D
O O L D B S Y A R A M M A R G
R L S I P B N R O S A V S N L
R I S R S M Z L N A R S Y G T
K I U E I U L S O T T I I Z V
I K A C S A B T U Y I M N C H
N O I T C N U J N O C P D F S
T C E T U Q G P U R L E I J E
A R I T N E C C A N E R C U N
W V L Q S L J D R S C A A S T
E O I G A O V Q S O S T T S E
H R R U S E N U L U Q I I I N
R Q S D R V S A H X Q V V V C
L E Q B S Y L L A B L E E E E
```

ACCENT	DEFINITE	PASSIVE
ACTIVE	GRAMMAR	PRONOUN
ADVERB	IMPERATIVE	SENTENCE
ARTICLE	INDICATIVE	SUBJUNCTIVE
CLAUSE	INDIRECT	SYLLABLE
CONJUNCTION	JUSSIVE	WORDS

149 Words Beginning with "Un"

```
S U H E P R U R A I X W D V Y
D D N A K N A R W E B F L U E
E E W C S O F D E T I N U C I
T L H U O M T R O K U N N T E
B A R C G V A Y O T E F I R C
U E F I A W E O A V U U F G R
O S D N A T S R E D N U O U T
D N I N P X T N E E D N R L A
N U U E A L T A D D E A M P X
U U N S A F E I N A R L F N E
R G W U U E F O O U N T R U E
G Z I L S Y U A G O E E X I V
S P N Y I E E U H Q A R T N R
S U D N U K D I H A T E O C S
U S G R M O L Z E X H D T Q O
```

UNALTERED	UNDOUBTED	UNSAFE
UNATTACHED	UNEDIFYING	UNSEALED
UNAWARE	UNEVENTFUL	UNSURE
UNCOVERED	UNIFORM	UNTRUE
UNDERNEATH	UNITED	UNUSED
UNDERSTAND	UNPLUG	UNWIND

150 Events

```
C O N F E R E N C E R A S U A
O A F F W X E Q L U A Y R C O
D F Y A A Q H G B W B P A A T
N L O G S I U I N A L R R A I
O E R O L H R M B I N O O Q C
I M L R D T I Y A I D M F H O
T J J O H F S O V J T D R S N
P S V D Q H E A N X T I E S V
E O A C O M L S S S A O W E
C Y M W I W R I T T H N C N N
E R E I M E R P E I V O M A T
R R U T R E C N O C V H W D I
R M G A N N I V E R S A R Y O
G T E U Q N A B I N P S L T N
Z R P E G R A D U A T I O N X
```

ANNIVERSARY	CONCERT	FOOD FESTIVAL
BABY SHOWER	CONFERENCE	GRADUATION
BANQUET	CONVENTION	MOVIE PREMIERE
BIRTHDAY	EXHIBITION	PROM
CARNIVAL	FAIR	RECEPTION
CHRISTENING	FASHION SHOW	WEDDING

151 Shades of Green

```
O C G P I S T T R G L U G T I
S D M Y K O S N R F S T C E J
W S C K G E O L I V E R X W L
I E T A G S G F I M U R R G X
R K D T S E R O F Y L Y N P A
E Y G Y W J Y M E I P P A S R
S B I T E U A S N X C R L E L
I P F T Y N L C I R S E P A J
C T R T G O T P I O T W P Y
L E S I T L E H P A R N R K B
Z B S Z N E L P P A L U S N O
S S I S B G A R T I O H S B Q
C A T L X R X L M D T S X R V
W H J F Z T I E B N F D R E Y
S D S P C P Q D Z I T Z Y S T
```

APPLE	JUNGLE	OFFICE
FERN	LAWN	OLIVE
FOREST	LIME	PINE
HONEYDEW	LINCOLN	SEA
HUNTER	MANTIS	SPRING
INDIA	MINT	TEAL

152 A Child's Bedroom

```
S M F G S E O E D B U A G B K
R C U R T A I N S E C A O B V
E B H O L A M P S A S Y P T A
T D Y O W H S A R N I K A R L
S S R S O Q R T J B A K R M A
O T U A K L O E S A O O T R R
P T A Z W O U W P G P O X D V
K U S G N I T N I A P C K Y T
E R N S E I N R I G P G L S A
U V O T D B Z G X F R L R H V
E R P W I L Z V S Y O X L Q M
M V A T E D D Y B E A R K A J
D Z T B Z M Y O V D A X M K W
L Y R U C L O T H E S F T B V
S R S E A E X H K B L Y I S I
```

BEANBAG	DESK	POSTERS
BED	DRAWINGS	SCHOOL UNIFORM
BOOKS	HOMEWORK	TEDDY BEAR
CARTOONS	LAMP	TOYS
CLOTHES	PAINTINGS	UNTIDY
CURTAINS	PAJAMAS	WALLPAPER

153 US Boy Bands

```
R H A Z D T F P B M Z A A R T
E L N O N E C A L L I H U R D
G T E H H L O R A U M X K J B
N H W I E I I T W E T S J K W S
O G E A B O W S R H U O J G Y
M I D N I G H T R E D D N R E
E T I E V O X R O B J E A E A
R L T M E Z I J F O A C S R A
C E I I U L V U L Y U I S I H
Y E O I R T O F U S T T H A S
M R N Z T T H E O S M O N D S
X G K Y M M L T S I T S T A S
T R O O P K O H N T O O N E T
E D L B A W A U O N W O A O E
W I H R N I S S F E O S G R J
```

BOYZ II MEN

DRU HILL

HANSON

JODECI

MIDNIGHT RED

N-TOON

NEW EDITION

NO MERCY

O-TOWN

ONE CALL

PLUS ONE

REEL TIGHT

SHAI

SOUL FOR REAL

THE BOYS

THE OSMONDS

TROOP

TRUE VIBE

154 NASCAR Drivers

```
E L H E V E L V I R R L R S Z
T F R N I U G E H U M A L O O
S P F O T A V Y Z B U E K I A
T X X L W T T O I L L E K L W
P I T L J S S N B J S A A D T
J K A I L S E U G E L R N T E
Q M C D O W E L L O S N Y E T
J L F N M S Y O R O X H U N Y
Z T E A C C W I N O A A T H U
S Z N H U S M C B M S R K A S
V R E B K L R U L W A D E K S
A R B I A Q S I R G H T R S O
C W E P O C N H A R V I C K R
Z Q H R H T X N L X A R T Y S
C F S R S B U A G H L Y R T U
```

ALMIROLA	EARNHARDT	LARSON
BLANEY	ELLIOTT	MCDOWELL
BUESCHER	HAMLIN	MCMURRAY
BUSCH	HARVICK	NEWMAN
COPE	KAHNE	RAGAN
DILLON	KESELOWSKI	WHITT

155 Online Advertising

```
V T Q T S L C O O K I E S O O
W R N S K S K Y S C R A P E R
Z E S O T R A F F I C C L A D
U N G N I T E G R A T A A Q S
S N O I S S E S M I N C S Z K
F A T L H I S P R D L H H R R
K B Q S R P A E I O P E P T I
T Y D T O I T N R U S Y A R W
A L R W G C G E P P S B G A L
P E O N R P D O V Q M Z E C C
A A W P A Y P E R C L I C K E
W P Y G V D A R X K X R S I N
T U E T C R E A T I V E A N G
J Y K C I T S A I O F O E G U
W A J E I M J T U C U G T F O
```

BANNER	IMPRESSION	SKYSCRAPER
CACHE	KEYWORD	SPLASH PAGE
CAMPAIGN	LANDING PAGE	STICKY
COOKIES	PAY-PER-CLICK	TARGETING
CREATIVE	POP-UP	TRACKING
FIXED COST	SESSION	TRAFFIC

156 Words Beginning with "M"

```
P A G N I C A N E M J R W E L
S U P M A R R I A G E B A C K
U M L A Z A A N J V J T V O T
O O Z M U I I X B J L W A I A
L D P B W P Y Y N Y D J A E U
U E O A U E A R K O M W R U X
C R P L L B C X Q O I M G L T
I A A T A J E I N M A T R I X
T T M I X A M E T A P H O R R
E E D A G R T N H S A P E M T
M U S I C A L I T Y E Q P B P
O M O O R H S U M B X J L C B
M X T Y U D I U T T G N A L J
O U O M I V A N H O E L U M U
O T R U M R U M E J I B Y T R
```

MACHINE	MATRIX	MONETARY
MADRID	MAXIM	MOTION
MAJESTIC	MENACING	MULE
MAMBA	METAPHOR	MURMUR
MANIPULATE	METICULOUS	MUSHROOM
MARRIAGE	MODERATE	MUSICALITY

157 Weighty

```
S R G U E S U Q X F U A P M O
L E R I A A T M A S S I V E A
A O M U A S D H A P U A I D O
M S Y A F N E D S P B F E U F
A P D T C A T U O T S W N R T
J I L O V A O E Y S T M I L S
I B E Y T M O M E G A L T P V
E H I V R P F R T N N B N U M
L U W O P L D R A I T S A N R
O G N L T E A G A R I Z H O H
P E U H F Y E R F E A S P T S
R E I V V A L C L B L T E A V
J C U M B E R S O M E S L R A
K D A L S A Y K N U H C E A G
O H E F T Y K Y K L U B I R P
```

AMPLE	GIANT	MASSIVE
BULKY	HEAVY	STOUT
CHUNKY	HEFTY	SUBSTANTIAL
CUMBERSOME	HUGE	THICK
ELEPHANTINE	LEAD-FOOTED	UNMANAGEABLE
ENORMOUS	LUMBERING	UNWIELDY

158 Headwear

```
P P A Y A T F N B N G O E E Q
B N S B V E W O S S L T B T I
A N F L Z R Q O L T U U O S V
S E A I L E M B W E E I W A O
E N G R U B M O H L T O L L G
B Y Y T R F W P T S B W E X Y
A E D E E R S T A L K E R E B
L Z R D B I T A H E L B B O B
L O O I U A F H E E M L I K C
C R Z Y S O L A H I L P V V L
A Q M E B U A M C A N M X X S
P Z Z I Y E T A O H M A E K O
X I O X I B C N L R I E E T Q
M L X T M W A A C L A P L B A
R E U V I O P P F A I L I S E
```

BALMORAL	BUSBY	HELMET
BASEBALL CAP	CLOCHE HAT	HOMBURG
BEANIE	DEERSTALKER	KEPI
BERET	FEDORA	PANAMA HAT
BOBBLE HAT	FEZ	SOMBRERO
BOWLER	FLAT CAP	TRILBY

159 Board Games

```
D L P N A S L Z I R R D X S P
T A Q W S T S W N A V E U S E
B E O U L T P S S S D E R A M
E N X U A Y R U M M I K U B T
F N D A L S L A E A S T K X X
C O A G K Y T O T O P O L Y S
K S I R M U R S P E D I R T L
K S T I T A N A O O G E M R N
H A T C J K I H N H N O U H Y
T C S O L L E H T O G O A L C
A R I L M Y S T E R I U M M C
N A T A C F O S R E L T T E S
X C H E S S E L B B A R C S S
S M W F N Y C S S R B L I I S
A T W S K O R S V O H K X D P
```

AGRICOLA	MONOPOLY	SCRABBLE
CARCASSONNE	MYSTERIUM	SETTLERS OF CATAN
CHESS	OTHELLO	SORRY!
CLUEDO	PICTIONARY	STRATEGO
GHOSTS	RISK	TITAN
LUDO	RUMMIKUB	TOTOPOLY

160 Pigeon Breeds

```
A W N U C S U S Z L L T Q P Q
N R P I U E L M Y R R I A R D
L A U Y B R A R L S J I R A Q
A Z O R X O O T U S A I Z C O
T R S Q O H C I H I Y G N I K
R E L R C A D A M A S C E N E
T T I P P L E R J U I A A G P
L S S R T P I C L L O R C H E
P U F A D R P H I L H R B O P
A L A S S R G A B O C I R M M
I I P T R S A N I R U E E E U
O Q F S P S M G T P A R O R S
M U L H O U S E O L C B N A O
A F A N T A I L E O R U S O G
E H R E W I H O M I N G E T K
```

ARCHANGEL	FANTAIL	LUSTER
BARB	HOMING	MAGPIE
CARRIER	ICE	MULHOUSE
CAUCHOIS	JACOBIN	NUN
DAMASCENE	KING	RACING HOMER
DRAGOON	LAHORE	TIPPLER

161 Best Picture Oscar Winners

```
U Q P B P U F V J Y I T C V R
T J A N U L T G A T Z N S F Y
T H E D E P A R T E D G T E G
T L J S O M P T R K U J O O L
H R K U S U Y L O C K R M G A
G U A B Y G S F T O J Z J A D
I R N E K T K P A R N A O C I
L C N F H S H C O I E B N I A
N U I U O E T S I T R A E H T
O R E O X R V E A N L L S C O
O I H R G R G A Z R A I A V R
M V A R N O S I R N C T G D O
O Z L M R F S U V B Z S I H Y
R J L P D A M A D E U S A T T
L A O G R A I N M A N D V K A
```

AMADEUS	FORREST GUMP	SPOTLIGHT
ANNIE HALL	GLADIATOR	THE ARTIST
ARGO	MOONLIGHT	THE DEPARTED
BRAVEHEART	MY FAIR LADY	TITANIC
CHICAGO	PLATOON	TOM JONES
CRASH	RAIN MAN	UNFORGIVEN

162 Latin Phrases

```
B M S T X M A N E O P B U S R
F H Q K P S E W F L E F N E S
A C U W S E I U Z Q D E P M S
T S O Q K N R S Y V I R E P R
P O T C A F O S P I V S N E S
S N C A E C Q N E N D I E R S
Y P A P T P A G A M O R B F E
J Q F P C U E D O U U E A I I
A L E S E O S R H U Q N T D D
U E D I T R H Q A O A E O E E
P P V B E E C D U N M G N L N
I R O I R P A E A O N I A I I
B D T A A Z E N H J U N S S
O Z Q E J W T W L T U S M E A
M A T M R E A R L W U L P N M
```

A PRIORI   IPSO FACTO   SEMPER FIDELIS

AD HOC   NOTA BENE   SINE DIE

AD HOMINEM   PER ANNUM   SINE QUA NON

DE FACTO   PER CENT   STATUS QUO

ET CETERA   PER SE   SUBPOENA

IBIDEM   QUOD VIDE   SUI GENERIS

163 Owls

```
H V J S V K M L Z H I E J D R
A T U G C F C H A C O K I G S
P W F E A R F U L L P B H U Z
T T L U F J E T L A U Z Z L E
K P R S K S A E S U O F U R R
S I T I Z T R M C G C G F O Q
C E E Q V Y H D A H N B L Q Y
D E U S C G I A E I S K I U D
E G S G B I M S W N C Q R A A
T M Y N W A T O O G A A G X G
Q X U T Z N R W T O L M N L U
S P T A U R Y N Q T D L G A L
R W M T U X L I T T L E R M A
S K I B P L S T R I P E D D Y
A A P U D X M L I K S Q D R Z
```

BARN	JAMAICAN	SCREECH
BURROWING	LAUGHING	SNOWY
CHACO	LITTLE	STRIPED
CHESTNUT	MANED	STYGIAN
CRESTED	MOTTLED	TAWNY
FEARFUL	RUFOUS	URAL

164 Barcelona

```
F R K R T P B E B S Q B F O B
X O G V I A Y K E S Z D Y N R
P O R T O L I M P I C T U B A
O I L U A F O U N T A I N S U
B C C D M G X P L S S P G T P
L N A A I P A S R N A O A S L
E R T S S A A U U E A M M I V
E A A Z A S G R D C M E U R R
S P L L R S O O K I A L I U A
P U O V B T E M N V T L R O N
A A N D E M B R U A L U A T V
N Z I D X L A E R S L P U U R
Y A A I I Y T R A A E M Q J I
O L L T A B A S A C R U A Q A
L P S T R O C S E L H U M R N
```

AQUARIUM	CATALONIA	LES CORTS
BEACH	DIAGONAL MAR	PICASSO MUSEUM
CASA AMATLLER	FORUM PARK	PLAZA
CASA BATLLO	FOUNTAINS	POBLE ESPANYOL
CASA SERRA	GAUDI	PORT OLIMPIC
CASA VICENS	LA RAMBLA	TOURISTS

165 Modern Anniversary Gifts

```
L  F  T  D  E  S  N  N  T  O  O  R  R  I  P
R  R  I  E  O  U  M  P  M  C  Z  F  W  A  R
S  C  V  S  H  L  B  Q  Y  F  X  C  H  D  I
S  P  O  E  Q  C  A  V  R  B  X  L  P  Z  P
S  L  R  A  E  P  T  C  L  R  E  O  N  A  I
A  A  Y  B  C  J  D  A  E  A  R  C  D  R  S
L  T  R  B  E  R  R  D  W  C  U  K  R  S  T
G  I  E  L  D  N  P  R  E  E  T  A  R  A  O
D  N  C  X  H  I  I  L  J  L  I  T  V  A  A
L  U  H  N  T  O  A  G  W  E  N  X  S  P  R
D  M  I  V  I  I  I  M  A  T  R  S  J  W  W
L  I  N  E  N  B  L  I  O  A  U  P  O  A  V
R  M  A  A  P  D  L  E  O  N  F  O  I  T  E
L  U  O  U  V  B  R  A  S  S  D  T  I  O  C
N  P  S  R  Z  F  L  O  W  E  R  S  P  W  F
```

BRACELET	FURNITURE	PEARLS
BRASS	GLASS	PLATINUM
CHINA	IVORY	PORCELAIN
CLOCK	JEWELRY	TEXTILES
DIAMONDS	LACE	WATCH
FLOWERS	LINEN	WOOD

166 In the Laboratory

```
D M W E G U F I R T N E C S U
R R E A C T I O N S K A Q E R
E E L B I C U R C L N T G V
T D T I E P O Z K O D A U N T
E N Q S A C I D R S F A O W E
M I E D I S T I L L A T I O N
M L J G M T M R U T E F L Y G
A Y I U A E N S O U E N U U A
B C A N T E R E N L B K N M M
J O S E J E R P I I Y E M U A
O F R N P A U S A C S S R T F
Y L L P D N T V I P S P I Z E
A L O A Q C H E M I C A L S T
M C R Y S T A L S E M A L F X
S B E U Z K X I R S A R I P V
```

ACID

AMMETER

CALORIMETER

CENTRIFUGE

CHEMICALS

COPPER SULFATE

CRUCIBLE

CRYSTALS

CYLINDER

DISTILLATION

ELECTROLYSIS

FLAMES

FLASK

FUNNEL

MAGNET

REACTIONS

REAGENT

SCIENTIST

167 Names for a Girl Beginning with "J"

```
A O R R O X N P J H H S F U Q
I Z M M S G J Z V R M S E O W
L K J K O J A N E T J H O R E
U R E O T O G A R O E E C A Z
J E W S P H H M R I N R Q G E
A E E A U A S D D H N U N L P
C T L J T N A Q A V A Q L A X
Q S J E A N E T T E U U U E B
U P V E N A I C X S U D L X A
I S F I N A A C I S S E J Y U
T R U M S N R T A N I N N T S
Y O J A S M I N E J A L S L P
K P C J A D E F A L O J S W S
U I M T S R J A E O S R K E S
A A T N H O Q J K R J D B M F
```

JACINTA	JASMINE	JEWEL
JACQUI	JEANETTE	JOAN
JADE	JELENA	JOHANNA
JAMIE	JENNA	JORDAN
JANET	JENNIFER	JOY
JANICE	JESSICA	JULIA

168 US Poets

```
A L X L A X M P P F R V C L D
H K A T R R L S M O R T K T I
C U R J A A U H L G U O A E C
Q U G P T E M E R S O N S F K
L R G H K D V E L S G A D T I
D E P I E I B A E E C M U A N
Y A R R N S D R L P K T X L S
Q M W E N O J O S E O I R L O
P O T I V Q U A S H A H O H N
R S G E B R O O K S O W S J A
M A L R O S A T H D E D O I A
R L G T M M K C E L V T W Z B
T I Y S E V L S L R Z D F L H
M Y L R R I H O S Z I X U A T
I E O B E R R D W L F A F J U
```

ANGELOU	EMERSON	LOWELL
BISHOP	FROST	PLATH
BROOKS	GINSBERG	POUND
CARVER	HUGHES	QUASHA
DICKINSON	KOOSER	RHODES
DOVE	LEVINE	WHITMAN

169 Words Beginning with "St"

```
D  U  U  S  O  A  P  V  U  S  Y  E  L  C  L
N  S  A  E  Q  V  Z  P  Q  O  J  U  Y  S  H
A  T  L  L  L  D  I  P  R  R  P  T  B  T  U
R  A  X  W  E  T  S  T  A  N  Z  A  N  U  R
T  R  R  S  Z  G  Y  E  S  S  T  T  Q  P  X
S  T  A  N  D  I  N  G  T  C  X  S  A  T  G
A  T  V  L  S  S  A  A  X  A  T  I  B  L  V
F  U  E  Z  L  T  T  I  F  R  V  U  O  L  E
D  U  O  N  S  E  E  S  E  S  R  F  N  O  S
A  S  S  U  C  S  T  A  T  I  O  N  M  H  U
E  D  O  T  M  I  M  S  D  A  Y  A  O  J  J
T  K  O  A  Y  C  L  O  B  Y  L  A  H  F  I
S  T  E  E  P  L  E  L  X  P  Q  E  U  S  E
A  T  U  B  E  S  U  R  C  Q  R  O  S  U  I
S  V  R  M  O  S  P  S  T  A  P  L  E  O  I
```

STALE	STATION	STELLAR
STANDING	STATUE	STENCIL
STANZA	STEADFAST	STEW
STAPLE	STEADY	STRAND
STAR	STEAM	STREAM
STATE	STEEPLE	STYLUS

170 On a Smartphone

```
F D Y M P N C G E R W O A U S
P U R X Y M O A R E K A E P S
I C P A E C R R B E A X S A E
E A I K C K O B G T M R A S T
U L C T O Y R N Z A Z U O V O
C E T W N O R A T S N F S O N
C N U T W Q B O G A L I A I D
K D R S B P U S M A C W Z C C
S A E S E G A S S E M T X E T
I R S N L Z S H R E M S S M R
A T A O R W L P Q F R G W A N
I R F C I I I R P W A D S I S
L T P I G F A Z R A L T D L G
E X T H I I M B E U A A A A N
Y O T T R T E T Z Q C J H L P
```

ADDRESS BOOK

ALARM

APPS

CALENDAR

CONTACTS

EMAILS

FLASHLIGHT

ICONS

MEMORY CARD

MUSIC

NOTES

ORGANIZER

PICTURES

SPEAKER

TEXT MESSAGES

VOICE MAIL

WEB BROWSER

WI-FI

171 Guest Celebrities in The Simpsons

```
K G C D X J A M E S W O O D S
P E E R T S L Y R E M T R A L
Q E P Y J A M E S B R O W N O
O L T R A C E Y U L L M A N S
R R X E E S G G R J T J R Y E
S I R V S D M N N C A O Q D S
E K A A P A Y A I I T N Z E O
T E O L T N M R R K T E Y V L
H A Y O B S S P A N Y S J I C
R A S N R Y O S R N O R R T N
O G R G J B N G J A O D R O N
G M Z O D T L O N I S N R A E
E O I R N C I E T I U R I O L
N J T I D I G I M U R A M W G
B G B A R R Y W H I T E S W U
```

BARRY WHITE	JAMES WOODS	SETH ROGEN
DANNY DEVITO	LARRY KING	STING
EVA LONGORIA	MEL BROOKS	TOM JONES
GLENN CLOSE	MERYL STREEP	TONY BLAIR
GORDON RAMSAY	PETE SAMPRAS	TRACEY ULLMAN
JAMES BROWN	RINGO STARR	WINONA RYDER

172 Conifers

```
M  T  I  D  B  H  B  P  U  J  B  M  O  T  Q
C  O  I  K  G  A  E  T  A  K  I  H  A  K  R
J  E  U  A  W  O  L  L  E  M  I  A  C  A  I
U  K  D  N  R  I  F  D  N  A  R  G  O  S  F
L  P  O  A  T  A  S  U  C  I  T  E  A  L  H
S  K  O  R  R  A  U  T  S  Y  L  C  S  W  S
S  R  W  N  E  V  I  C  U  U  P  U  T  E  I
S  M  D  R  D  A  T  N  A  C  W  R  R  Y  N
S  L  E  L  O  C  N  Z  H  R  T  P  E  H  A
L  A  R  C  H  R  Y  F  S  E  I  S  D  S  P
J  U  N  I  P  E  R  P  I  P  M  A  W  I  S
Z  I  W  W  S  E  K  U  R  R  G  L  O  R  H
Y  I  A  G  I  A  N  T  S  E  Q  U  O  I  A
G  L  D  T  Z  I  T  I  Y  E  S  P  D  C  I
F  A  G  G  A  K  R  A  P  P  T  S  B  A  K
```

ARAUCARIA	GRAND FIR	MOUNTAIN HEMLOCK
BALD CYPRESS	IRISH YEW	PINE
CEDAR	JUNIPER	POND CYPRESS
COAST REDWOOD	KAHIKATEA	SPANISH FIR
DAWN REDWOOD	KOREAN FIR	SPRUCE
GIANT SEQUOIA	LARCH	WOLLEMIA

173 Types of Wine

```
Y P A O W P I I N A I O R A E
S I A S P A R K L I N G S I I
A C E S I M E D S A S I R Y U
F U C H A R D O N N A Y V Q S
I Q T F V Z G P S C E E R B J
I L S S M O O T U R B B Y A L
D D H E E R F L O H O C L A H
T J E R T N L E D N A F N I Z
E O R I W H I T E W I N E L Z
S R R E F M U W M L D P A E W
G G Y S S I U V E R M O U T H
P J O L N E T L R S D P F F Z
R E N I W D E R L I U B R S P
K E F N P I R I O N T O N I P
D P R G P L R S T F T P H A U
```

ALCOHOL-FREE	MERLOT	SHERRY
BRUT	PINOT GRIS	SPARKLING
CHARDONNAY	PINOT NOIR	SYRAH
DEMI-SEC	PORT	VERMOUTH
FORTIFIED	RED WINE	WHITE WINE
HOUSE WINE	RIESLING	ZINFANDEL

174 Lakes in New York State

```
A T R U E S A R R T H W A N R
P H A E R R T S P C U P T V A
Q M L K P W T A O F T L B R E
I E H X Q P W M I S O A V F L
X U C A K E U K A Q W C I O C
S N N I B A H T A W A I H U A
Z C O L D E N V G D N D T X Y
G B S O H A A A O F A S Y A U
E S I Q U L N R R J E E W T G
U M T G A M P A A Z P L L Q A
U P T N M M E A C H A M S I W
B U C K H O R N T G E S J P G
U H U M A S O N S S P I F E R
E C T P L E A S A N T S N J L
E T S R A R M D E Q R T T A S
```

AVALANCHE	COLDEN	MASON
BIG MOOSE	EAST CAROGA	MEACHAM
BUCK HORN	GALWAY	PLACID
CANADICE	GILEAD	PLEASANT
CAYUGA	HIAWATHA	TUPPER
CLEAR	KEUKA	UTOWANA

175 Isaac Asimov Books

```
F L Y I N G S A U C E R S S V
I E R U T U F E H T Y S J S H
M E T M S E L A T N O G A R D
U T S E I X A L A G U S R A M
S S E N U S D E K A N E H T X
G F N E A A T S R A G H C S C
N O O O N I R X H F M C U O S
T S I S E H T N Y S O T O H P
M E T F E S W P Z R N I L B A
S V A H Q S K I Y X S W W G C
S A D R G Q S E Z G T P U T E
D C N E M I T D N A E F I L M
O E U B I E L Y T S R E A F A
W H O D O N E I T V S D H S I
U T F N A W L K O E I B S T L
```

DRAGON TALES	MARS	THE FUTURE I
FLYING SAUCERS	PHOTOSYNTHESIS	THE NAKED SUN
FOUNDATION	SPACE MAIL	WHO DONE IT?
GALAXIES	STARS	WITCHES
LIFE AND TIME	THE CAVES OF STEEL	WIZARDS
LIGHT	THE EGYPTIANS	YOUNG MONSTERS

176 The Fall

```
T B E U R T S I W X P L R S E
P U M P K I N M X P N Q Z E U
C S E I R R E B O T C O A M I
T T L O N G E R N I G H T S O
M S W O L E W B E Q U I N O X
G R U O U X O A M B R O H P O
S R U U T P L B C E M T A Y Z
E P T A P P L E S O T E R M R
A T A C O W A C A Z R P V Y A
A I J C R V H F H V A N E O I
C H K S S E K A R I E L S S N
T O P E P S F H R A L S T K P
B M R U E S R O L O C L U Q T
P R L Q Y A S Z W A J S Y A R
O R A D R C J G A O I K X U R
```

ACORNS	HALLOWEEN	PUMPKIN
APPLES	HARVEST	RAIN
BERRIES	LEAVES	RAKE
CHILLY	LONGER NIGHTS	SCARF
COLORS	NOVEMBER	SEPTEMBER
EQUINOX	OCTOBER	YELLOW

177 Cocktails

```
G H M A R T I N I E I B M O Z
R I R K E T R I Y O T T G R G
E E S N E E G F V S F I A B E
E C V P O I R I U Q I A D P O
N A T I L O P O M S O C Y G A
V C E N R L G E C O P H D B T
E T A K C D A A L S J M Q O I
S U R L A F W B L U R I I V R
P S T A R T O E W E J U T I A
E J H D E A M C R O U T O O G
R A Q Y Z W R P L C N L N F R
S C U B A L I B R E S S B I A
W K A S S O N A T T A H N A M
I A K O O G E P T R A W S L Z
G A E S R S A D U F Q C T L A
```

BLUE LAGOON	FOUR SCORE	MOJITO
CACTUS JACK	GREEN VESPER	PINK LADY
COSMOPOLITAN	MANHATTAN	SAZERAC
CUBA LIBRE	MARGARITA	SCREWDRIVER
DAIQUIRI	MARTINI	SNOWBALL
EARTHQUAKE	MINT JULEP	ZOMBIE

178 Building

```
M W S X P B L D J L E I L A Y
L S I T H Z K C I R B Z E F C
F V J U C H W S A T U T T O P
J N A T C N O C O P T S N O T
J B I L J A C U A Y T C I T C
R A S A X A V R S O R E L I E
T L C H P S T I R E E X S N T
L C X P X Y I M T T S C K G I
A O I S W S D E J Y S A P S H
N N S A B R P K G A W V V P C
G Y L L A W G N I N I A T E R
W L L I K M O S N A R T L D A
N A N U A N D R U M I I N L H
R B X K G R O U N D W O R K O
V Y D E M O L I T I O N K N R
```

ARCHITECT	CAVITY WALL	HOUSE
ASPHALT	CONCRETE	LINTEL
BALCONY	DEMOLITION	PARTY WALL
BRICK	EXCAVATION	RETAINING WALL
BUTTRESS	FOOTINGS	STORM DRAIN
CAPPING	GROUNDWORK	TRANSOM

179 Money

```
O D A U C A R P N F E M D E V
R Q G N C I E W M L T S A T K
B D V Y O K D O F T T K I M J
Y O H T I R N R Z E W S O E Q
A R I I N T E R E S T R O Z R
S S R L S S L O S R T Q I G T
S H O I M F T B H G T J L R O
I A H B C R I N A R F S O Q A
N R V A T H B G E U S T F F S
O E U I N V E S T M E N T X B
O S O L N H D C R P Y J R Q A
D E A R P G S V K W L A O Q N
U U L P S V S A T I S O P O K
E A T E I D E X C H A N G E E
A A Q U J R G U A T R A D E R
```

BANKER	EXCHANGE	MORTGAGE
BORROW	INTEREST	PORTFOLIO
CASH	INVESTMENT	REPAYMENTS
CHECK	LENDER	SAVINGS
COINS	LIABILITY	SHARES
DEBIT	LOAN	TRADER

180 Butterflies

```
S  C  B  R  O  W  N  A  R  G  U  S  T  A  L
L  A  R  I  M  D  A  D  E  R  L  F  B  M  L
D  T  M  O  S  S  R  L  P  O  Y  A  R  T  E
A  I  A  M  K  K  O  T  P  Y  D  T  I  M  H
H  D  N  W  O  R  B  W  O  D  A  E  M  S  S
C  O  O  I  E  C  M  G  C  A  L  L  S  H  E
R  Z  L  N  T  O  R  Y  L  N  D  G  T  T  S
A  O  T  L  I  A  K  U  L  V  E  N  O  A  I
N  K  K  K  Y  S  C  L  A  L  T  I  N  E  O
O  Y  O  L  B  B  B  N  M  C  N  R  E  H  T
M  O  I  S  M  A  L  L  S  K  I  P  P  E  R
V  N  R  C  F  O  R  U  U  T  A  F  T  G  O
G  S  E  G  A  T  E  K  E  E  P  E  R  R  T
R  I  J  O  N  E  E  U  L  B  E  G  R  A  L
M  Y  R  A  L  L  I  T  I  R  F  I  P  L  W
```

ADONIS BLUE	GRAYLING	PAINTED LADY
BRIMSTONE	HOLLY BLUE	RED ADMIRAL
BROWN ARGUS	LARGE BLUE	RINGLET
COMMA	LARGE HEATH	SMALL COPPER
FRITILLARY	MEADOW BROWN	SMALL SKIPPER
GATEKEEPER	MONARCH	TORTOISESHELL

181 Philosophy

```
C U S A R I S T O T L E R M V
O A M O F N E A E M H P E S Y
N E R S P R P U M U A I M I M
Y V E R I H E S M N C S P S S
X I L A D L I E P R I T I P I
R D A D W I I S W W G E R I X
B E T H E O Y H M I O M I L R
W A I O R C S Y I J L O C O A
T L V M H N O M I N A L I S M
I I I I S M S I T U L O S B A
Y S S N F I S T O M V G M V N
V M M E G W L E O A Q Y V O Q
M K V M D O T A L P W P F A R
P N U S A K I N E R S N X R A
R T I W E Z I B R R I N L N W
```

ABSOLUTISM	HUME	PANPSYCHISM
AD HOMINEM	IDEALISM	PLATO
ARISTOTLE	LOGIC	REALISM
EMPIRICISM	MARXISM	RELATIVISM
EPISTEMOLOGY	NIHILISM	SOLIPSISM
FREE WILL	NOMINALISM	SOPHISM

182 NFL Teams

```
R B Y S X K O K H I S A Z A W
E M A B T U Z I D R T F M E A
V T I I R N R A M S G O S I A
I E D Z S O A J T D L S F S I
Q X I E R X N I O S I L E V F
R A V E N S T C G D U U I S S
T N R S S A A C O H U K H B J
J S P A N T H E R S I R C U L
B A L S T B E T V N A U S Y E
L I G A E Y A J G O I E B I Y
T B J U G P G S L C J B E A T
R A A I A N L Y Y L E R H F G
O I D A S R E D I A R G R T O
C O W B O Y S B R F E J T A U
D N B P J F P S Z P A A I A Z
```

BEARS	EAGLES	RAIDERS
BENGALS	FALCONS	RAMS
BILLS	GIANTS	RAVENS
BRONCOS	JAGUARS	TEXANS
CHIEFS	JETS	TITANS
COWBOYS	PANTHERS	VIKINGS

183 Countries of Europe

```
V P E L L I E C E E R G I L A
X O J R H J H O R N T S R Y T
P U B F R R X U D T G R E S Q
P G E R M A N Y N I L L L U I
S E L A W V P A O G F Q A L A
V R A N P O R T U G A L N N F
I A R C H D T C L E B R D B D
P Q U E A L R A Z A R R Y A L
H P S O P O D A N T T L B I Q
M K V E A M N I I C R V B Q S
P S Q T P S A R A N F R I E S
V T I Q L I L T P M O L A A A
C A S U I Y N S S K I T A L Y
L K A E A S I U R W L T S U A
Z J O E P U F A X J U B N E P
```

ALBANIA	FINLAND	ITALY
AUSTRIA	FRANCE	LATVIA
BELARUS	GERMANY	MOLDOVA
CROATIA	GREECE	PORTUGAL
ENGLAND	HUNGARY	SPAIN
ESTONIA	IRELAND	WALES

184 Chile

```
S K A D U R E N O L B A P O I
D R E P P O C U R A N T O J X
P P Z L A F L O R I D A E H A
Z Z P A A S M J P G W C L U D
S O U T H A M E R I C A L M D
U A E C L P E T M L S M P I H
M W N W A N T O F A G A S T A
O S T E M U C O N S E D N A O
V W E O R N G T S R W E P S A
C T A O D E I A D E B S G C I
C K L W A A S N C N P E I A D
L R T R G U S A S N G R U R P
C M O O I R T A L C A T N P P
R X N V S L M U I I S R U O I
A I K Z L R I U A L H X N D S
```

ANDES	CURANTO	PUENTE ALTO
ANTOFAGASTA	HUMITAS	RANCAGUA
ARICA	LA FLORIDA	SANTIAGO
ASADO	LA SERENA	SOUTH AMERICA
ATACAMA DESERT	PABLO NERUDA	TALCA
COPPER	PESO	TEMUCO

185 At the Library

```
L U T P F A I S L E S Q B L D
D S D A W I L S E S E U U P T
E N R N B M C L E S C O C R K
R A A E U L I T P V T B S I H
S X C I S Y E F I B I Q D N S
S D Y S R E L S Y O O H O T G
E V R B V A A C T S N O C E O
R C A O R F R R O U S I U R L
O A R O C D S B C M D A M N A
S A B K M E R R I H P E E E T
T S I S O T R U A L E U N T A
S I L E N C E R Y X V R T T C
D R S O R E S O U R C E S E S
R G N Q P T T E U S S S Q I R
E T C R L P K U F A X F R Z R
```

AISLES	FICTION	RESEARCHERS
ARCHIVES	INTERNET	RESOURCES
BOOKS	LIBRARIAN	SECTIONS
CATALOG	LIBRARY CARD	SILENCE
COMPUTER	PRINTER	STUDENTS
DOCUMENTS	RECORDS	TABLES

186 Counties in Kentucky

```
T S A A S E T A W B T T S K P
N O T L U F P B J S T D V M R
I R E T R A C C K Z R K D G A
L I F L O B L T U R K Z A V P
R R L H E I O L D H A M I Y O
R T O T R S L U Z L V L Y N V
S S W H W U L L R A L P T H L
T R I G G H L I E B N K V J S
L G T R D A O E E S O O Y S S
J P G N E R R A B O S N D L N
A K T R W D R R H T N U G R A
M K F O A I A R A L O F R L E
P H J H N N C T O R M B H W L
O E R C R I T T E N D E N B C
P P N A X R L Y R A E R C C M
```

BARREN	ELLIOTT	MCCREARY
BOURBON	FULTON	MCLEAN
CARROLL	GARRARD	OLDHAM
CARTER	GRANT	RUSSELL
CRITTENDEN	HARDIN	TRIGG
EDMONSON	LESLIE	WOLFE

187 Cosmetics

```
A R R T B T W M A S C A R A Q
R U U B L R O O R U R V V B Z
H A V B U U F M D U U Z T O E
Y T S O S N O I T A D N U O F
A V S R H S E O N I H H C Y P
D U E H E T O W R A M S R I R
F A B S R N L L T I I I E U I
F T B K F R I I G T T L L Y M
A K C C A P P L D P E O A U E
K G R I S V L O E E I P E R R
E K E T S A I Z J Y E L C N T
T N A S S A N J X A E I N H A
A I M P M A E R C C A O O S
N E W I H B R O W P E N C I L
P A G L I T T E R P G P A S W
```

BB CREAM	EYELINER	LIP STAIN
BLUSHER	FAKE TAN	LIPSTICK
BROW PENCIL	FOUNDATION	MASCARA
CC CREAM	GLITTER	NAIL ART
CONCEALER	LIP GLOSS	NAIL POLISH
EYE SHADOW	LIP LINER	PRIMER

188 Firefighting

```
T N A R E L E C C A M L K F L
L R O T C E T E D E K O M S P
C E P I P D N A T S Z S Y F
O J F O T R R O S U M A T N K
E U V I G A T E V A L V E O L
R T I L R S R H C T A F M I A
W F H O S E N G F U J I L T R
L A U F H T D O A Y D R E S T
O R T E T A T O S L S E H U O
W D S E L X Y U O R F E R B V
R K F I R E H Y D R A N T M L
E C T N W T A J L N C G O O X
F A A L B R A V E R Y I H C S
J B O X Y G E N S A D N E T Q
M B O H L P P W K X R E T A L
```

ACCELERANT	FIRE DOOR	HOSE
ARSON	FIRE ENGINE	OXYGEN
BACKDRAFT	FIRE HYDRANT	REDUCER
BRAVERY	FUEL	SMOKE DETECTOR
COMBUSTION	GATE VALVE	STANDPIPE
CONFLAGRATION	HELMET	WATER TANK

189 Another Word in Reverse

```
Y E W H T R C P X R U O R T M
C S U Q A S Y L I A R W W L O
O T H J L W S A G L Z E Y H G
G K D M S T F I R U R G E C A
L I Y V C B E D R D T L Q D O
W S V I V Z O J H A U G E W E
S P L D S O L U S A V E I O R
N A L E M I T R D S W F E P A
O M A L E O T T R S B G D Z S
O Z G I K P O P V V R L R A I
P O E V S T A R T G C H T T E
S T R E S S E D L R D A U U U
I O A R P Y U T E P I E C E I
J R M A I Z O T T Y W T S S S
D T N L A R E T S V F T T P R
```

DEER	REVILED	SPAN
DIAL	ROOM	STRESSED
DOOM	SAG	TIME
RAIL	SLEEP	TROT
RATS	SNOOPS	TUG
REGAL	SPAM	YARD

190 Cats

```
T O X B A M U N C H K I N P H
X N E B E L U N G C A A A T D
I O R E D N A L H G I H S A T
P O N I S Q G A O N X S M R A
J R O I Z E N A I D T X I R B
T J V V B T M S L K R A S O B
S Z E P I M S R H D S F M U Y
R R D L S Y A M U P I B I C T
Y E L R B T A B E B A I X R R
R Y U A A P L R C Y M R I C A
Q A E Z F G S D X P E M O U R
R O L E A I O Q S Z S A L R E
P X Y B A L I N E S E N E E U
I R X N Y H P S L A I E H S A
L B U L A C E A R I R G T C I
```

ABYSSINIAN	BURMESE	MUNCHKIN
BALINESE	CHANTILLY	NEBELUNG
BAMBINO	CYMRIC	PERSIAN
BENGAL	DEVON REX	SIAMESE
BIRMAN	DRAGON LI	SPHYNX
BOMBAY	HIGHLANDER	TABBY

191 Novelist J. M. Barrie

```
S  H  T  D  N  K  N  G  S  W  E  E  D  Z  S
E  T  F  H  R  N  Y  D  N  E  W  T  U  R  O
I  O  A  N  G  A  O  L  B  A  R  O  N  E  T
R  I  H  R  A  I  M  V  I  Q  M  O  L  P  J
I  N  K  S  K  P  R  A  E  L  A  T  L  G  S
A  D  G  B  S  E  R  W  T  L  R  L  D  T  W
F  N  I  A  T  Y  Y  E  Y  I  I  E  E  M  S
U  A  Y  F  Q  T  D  N  T  A  S  S  G  V  L
G  L  R  X  R  Y  R  A  M  E  L  T  T  I  L
S  R  O  H  T  U  A  R  L  S  P  P  A  X  T
L  E  G  A  V  A  S  D  R  A  H  C  I  R  G
C  V  S  C  O  T  T  I  S  H  M  I  P  U  L
T  E  S  O  R  Y  R  A  M  D  P  C  U  U  H
E  N  Y  K  A  A  S  U  S  A  N  P  M  X  K
D  W  O  U  Z  L  U  R  G  E  H  L  I  I  E
```

A LADY'S SHOE	MARY ROSE	SCOTTISH
AUTHOR	NEVERLAND	SMEE
BARONET	NOVELIST	STARKEY
DRAMATIST	PETER PAN	TIGER LILY
FAIRIES	PLAYWRIGHT	TOOTLES
LITTLE MARY	RICHARD SAVAGE	WENDY

192 Game of Soccer

```
C R J A T T X K J I M I P T I
E C Y R E F E R E E K E C E T
G R Q E Q U A L I Z E R O I E
A O O K L A O G N W O E F Z O
Q T B C W L N X S S R D F U Q
U U V A S C O I S I E C S O C
Y P Z T M A I W B D C A I E X
Y P G T A U S U C R N R D P O
F Z N A B T S Y O A A D E R A
H M I D F I E L D E R N D Y A
Y Q K T F O S I D T A D E A H
N I O P H N S I I L E L R X H
Z T O U I Q O A T U L P V A U
O J B A T X P Y P O C S J U W
G P F E T E G E V F S R Y W S
```

ATTACKER	EQUALIZER	POSSESSION
BOOKING	FOUL	RED CARD
CAUTION	MIDFIELDER	REFEREE
CLEARANCE	OFFSIDE	SCORE
CROSS	OWN GOAL	VOLLEY
DRAW	PENALTY	YELLOW CARD

193 White...

```
S  S  P  T  J  S  I  N  J  V  H  R  B  F  F
S  Q  Y  E  T  C  T  U  S  O  H  L  T  O  N
S  P  L  K  N  I  G  H  T  S  C  L  M  A  P
O  M  F  L  A  G  B  A  N  E  A  T  H  Q  T
N  X  O  I  U  A  G  L  A  L  C  O  O  D  F
O  N  V  E  N  M  Q  O  H  B  U  Z  R  I  U
Q  P  U  E  R  T  C  R  P  S  T  P  S  W  O
E  Q  K  N  U  C  K  L  E  Z  A  R  E  P  T
P  N  O  I  S  E  K  A  L  P  N  Y  F  S  X
N  E  I  R  S  P  B  R  E  A  D  C  S  R  S
R  H  Q  W  I  B  K  R  T  L  J  L  F  E  M
U  C  S  R  A  R  P  C  S  G  A  T  R  W  F
V  Q  P  N  N  M  P  A  P  M  O  H  A  R  S
P  I  N  K  S  B  T  B  L  Q  J  L  W  S  W
S  A  D  B  O  C  X  G  E  E  S  L  D  W  P
```

ANTS	HORSE	MAGIC
BREAD	HOT	NOISE
DWARF	HOUSE	PAPER
ELEPHANT	KNIGHT	RUSSIAN
FLAG	KNUCKLE	WHALE
GOLD	LIE	WINE

194 Famous People

```
U V C L E O P A T R A L E D L
M C Q U S E T A G L L I B Q S
A I H D N A G A M T A H A M W
R A E L V I S P R E S L E Y I
I N B A S E R E T R E H T O M
E N C H A R L E S D A R W I N
C O P R A H W I N F R E Y G S
U D V T H O M A S E D I S O N
R A P A U L M C C A R T N E Y
I M P R I N C E S S D I A N A
E O R N O M N Y L I R A M I L
T O S S A C I P O L B A P E X
J L L E W R O E G R O E G C T
R E Y I M U H A M M A D A L I
N Y L O R O S A P A R K S L S
```

BILL GATES	MAHATMA GANDHI	OPRAH WINFREY
CHARLES DARWIN	MARIE CURIE	PABLO PICASSO
CLEOPATRA	MARILYN MONROE	PAUL MCCARTNEY
ELVIS PRESLEY	MOTHER TERESA	PRINCESS DIANA
GEORGE ORWELL	MUHAMMAD ALI	ROSA PARKS
MADONNA	NELSON MANDELA	THOMAS EDISON

195 Names Beginning with "S"

```
W E E K B E T N S S I E S A R
S T A G Y S A R A H S T S O L
U A W N A E S U O T E Z G R T
K P T S I S L K Y P S L R Y T
F U A W P R D L H X S T D A A
Z U L V S E B A S T I A N O S
D R R A A A N A A A L N Y R N
N E S I J I M C S G N F E R
U E G O E H E A E Z P G R O R
Z T O R P Y K S N R U I I U V
Z D L B K H S Z H T G O T T T
A Z U J U C I R U A H B T K A
E A Q R O J M A R D N A S F P
Q M W T T C O M H U D E S A X
X P T A T P N K E H I S W S T
```

SABRINA	SAUL	SIMON
SAGE	SCOTT	SOPHIA
SAMANTHA	SEAN	SPENCER
SANDRA	SEBASTIAN	STACEY
SANGITA	SHANE	STAN
SARAH	SHELDON	STEPHANIE

196 Nerves of the Body

```
I  G  S  G  S  K  A  V  T  O  L  A  I  T  J
E  A  G  R  R  F  N  S  F  T  I  D  M  T  L
P  S  I  P  S  B  W  U  U  G  T  U  S  S  Y
W  R  M  A  X  I  L  L  A  R  Y  T  S  U  C
R  P  O  T  S  B  L  A  I  D  A  R  N  C  F
D  A  A  T  S  A  T  G  T  O  L  L  E  A  T
A  T  O  L  O  C  E  P  E  S  J  L  C  R  R
Z  C  I  T  A  M  O  G  Y  Z  O  A  U  A  O
S  U  U  K  I  T  O  C  U  U  R  C  D  B  A
G  X  O  N  E  L  I  L  H  T  S  R  B  M  A
M  A  A  I  O  R  A  N  U  L  K  I  A  U  Q
S  L  T  S  P  I  P  C  E  C  E  M  U  L  S
X  L  T  A  T  S  I  R  C  X  O  A  L  N  Y
L  A  D  S  I  L  I  N  G  U  A  L  R  A  R
T  R  F  A  C  I  A  L  A  I  B  I  T  R  S
```

ABDUCENS	LUMBAR	SUBCOSTAL
BUCCAL	MAXILLARY	SURAL
COCHLEAR	OCULOMOTOR	TIBIAL
FACIAL	OPTIC	TRIGEMINAL
LACRIMAL	PALATINE	ULNAR
LINGUAL	RADIAL	ZYGOMATIC

197 Country Artist Garth Brooks

```
C H A N G E S N E V E S W L Q
A A R S H A M E L E S S O L S
L T C E A Y L I S S E R L L U
Z I G G M A O F Z N N A V Y W
L S N N A M T H E R I V E R K
U N O U M I U B O T W L S O N
Q O S O D A K S Q B I H G D I
F F R Y E Z M G T E L H H L L
L E U O V D R E D A D U W X L
E N O O O H O A M O H A L K O
U C Y T L E F R A Z O T M Y R
W E S H A L L B E F R E E S I
S S T C P V Z G Q V S D R D U
I V I U A E C N A D E H T H I
Z I U M P O M R O T S E H T R
```

CHANGES	RODEO	THE RIVER
IT'S YOUR SONG	ROLLIN'	THE STORM
MUCH TOO YOUNG	SEVENS	WE SHALL BE FREE
NO FENCES	SHAMELESS	WHITE FLAG
OKLAHOMA	THAT SUMMER	WILD HORSES
PAPA LOVED MAMA	THE DANCE	WOLVES

198 Sewing

```
H Q H L R U Y D Q O S P D A P
P G L P H K Z X M T E I A O S
T N Y P A E K Z A T Y M A A E
I I M T J K U W B H E S A D G
I D L H I C E A E R L P H F P
A N N S T U S E B E E S C W H
R I M E G T O W R A T P T U E
A B F M E L E R P D O U O P D
G B A R A D A P M B W H N O M
L Z L R P T L U L P R E T P L
W S S E T I R E H T A G A A S
H S E P Q A N A H T S W D P D
T O H U W D C R D Z Y L T W R
O P E N W O R K A O E U I A W
B P M E H A U I J Y D P W O R
```

APPLIQUE	EYELET	NEEDLE
BAR TACK	FALSE HEM	NOTCH
BASTE	GATHER	OPENWORK
BINDING	HEMP	THREAD
BLEND	LOOPER	TUCK
DART	MESH	YARN

199 Desert Plants

```
L N D R D U Z R G T K P R N T
S F E E X C U K A E W L F J
L A S V S N G M R M T O A F U
K R E O E E K S T E B L W W M
S S R L R N U R L L L J A P
Z L T C T K M T I P A E E L I
E O I S M B S C L R C M N C N
M C R L I Q U A W U E I O S G
W O O W S S J C G P P P M L C
A W N O T A O L K S O I E I H
J E W U L G J E L W D N N V O
P E O O E U O R C D H E A E L
L D O A T A B R R H D E F D L
H Y D N O R A A F R I C A N A
X L U B E O D B A H I A Z T S
```

ANEMONE	DESERT LUPINE	LACEPOD
BAHIA	DESERT MISTLETOE	LOCOWEED
BARREL CACTUS	DEVIL'S CLAW	OWL'S CLOVER
BUCKWHEAT	HYDNORA AFRICANA	PURPLE MAT
CHIA	JOJOBA	SAGUARO
DESERT IRONWOOD	JUMPING CHOLLA	WOLLEMI PINE

200 Low-fiber Foods

```
K M R E R S E M O L I N A L U
P A U C J M R A T U R L T C O
D E L I D O E Y K O A S H R H
X R K R X O T O E U D E J S T
R C A E L T Q N D N E Z K H D
A E A T O H T N A S O O Y T G
L C Y I S J T A E M V H T I Y
T I L H A A W I R G S V X S S
B U U W K M P S B A G O N H E
W J U N P T G E E C P S L V Z
P T R U G O Y H T O O M S M R
E I X B L A P Y I I J P I A E
O U S K T F I S H P H X U L R
A R E T T U B R W A I W Z U K
S F R U V M I C I T B P Z M P
```

BUTTER

CHEESE

EGGS

FISH

FRUIT JUICE

HONEY

ICE CREAM

MAYONNAISE

MEAT

MILK

OIL

SEMOLINA

SMOOTH JAM

SMOOTH YOGURT

TAPIOCA

WHITE BREAD

WHITE PASTA

WHITE RICE

201 In the Bible

```
K K E J R W O U F Z R J A S M
A L C I L S E L T M S P L L L
I U L S S R P E I Z S M I Y A
I K H I N B S A S Y P X S R A
L E L S H A R E U M N S D R I
G S A E O U N E A O I M S H J
P N R N J J E T V N M L N N K
R A T E J F T P A O A A A L W
Z M S G B H U U E R R S I V V
M O U E E M E R H E K P S G I
J R D W R S U C I T I V E L U
K G O B T E T N D U U I H Z Y
Z R X H H M C A U E I R P O K
A L E R I A S E G D U J E R M
O R R Z S J Z Y D Y Y H L Q V
```

DEUTERONOMY	JOHN	MATTHEW
EPHESIANS	JOSHUA	NUMBERS
ESTHER	JUDGES	PROVERBS
EXODUS	LEVITICUS	PSALMS
GENESIS	LUKE	ROMANS
JAMES	MARK	RUTH

202 Fabrics

```
S L S S U U X A T U E N S Y K
S T K U B P G S G A R K I R R
C L P A L R U B F E S Q T L L
S F I Z N P N M I S T T R U A
F Z A N S G V A R B T K R P W
E A C A E A O S F F S L N S R
L B H G S N I R I Q A D Z C T
T Q E R U Y L Y A P T P T T S
S E N O F F I H C L I U M S Z
T F I S U R N Y L O N P R M H
R G L E N N A L F E T U J C H
E E L E A T H E R E A T S H Y
M B E V E L V E T T S R O I C
P C A L I C O V T A L Y T N B
I O H S M L E X S W O C E O K
```

ANGORA	CHINO	LEATHER
BAIZE	COTTON	LINEN
BURLAP	FELT	NYLON
CALICO	FLANNEL	ORGANZA
CHENILLE	FLEECE	SATIN
CHIFFON	JUTE	VELVET

203 Farming

```
R R C T I R R I G A T I O N A
U F O U N I J Y S G I N T E S
I T G I L F L M W R L E M L D
A Q S S S T Q A O I L U P A Q
E S M A V S I T C C I Z X X I
L P U M C T A V P U N Z W A O
A N O D O T S R A L G A L T S
M I L K I N G E G T N N S V R
B U G O B E C L V U I G B A Q
S T N Y A X G H F R R O N I L
W A I M L S I A U E A P N A O
I T Z H P U A S L O E H I Y E
S F A L L O W E R I H D M Z O
Q Y R I A D R K G S S P Y E Z
A K G V Y G Y C U L P Y G R A
```

AGRICULTURE	FEED	LAMBS
COWS	GRASS	MILKING
CROP	GRAZING	ROTATION
CULTIVATION	HARVEST	SHEARING
DAIRY	HAY	SILAGE
FALLOW	IRRIGATION	TILLING

204 At the Gym

```
R A L U C S A V O I D R A C U
S O L H S W A R M U P B A F B
A Z I N T E N S I T Y E T A R
O F M S R A D I S G E T V O A
B V D T C T U S S N U O S N
R H A A I M E S T T I A X X
I R E T A N B U B H E A N A F
Y I R A T G B O A G O S M O I
K P T Y R N E P R I A W H N T
O O V T E I L U B E L L E Q N
P S E T P N L Y E W A M Y R E
D U A L P I N G L T O V M Y S
T L O Q E A U C L L U E U A S
L E W O T R B A T J S E N I E
E T R L S T I U C R I C I N T
```

AEROBICS	INTENSITY	TONING
BARBELL	MATS	TOWEL
CARDIOVASCULAR	SETS	TRAINING
CIRCUITS	SHOWERS	TREADMILL
DUMBBELL	STEPPER	WARM-UP
FITNESS	SWEATING	WEIGHTS

205 Birthday Party Ideas

```
B P V O J E A A T K E C O E K
U U L S S N G H G K E O L B R
E P S W K T W O C A R N L F A
P A I K A S O K K R E C A G P
Q U E W T N H I A A E E B T E
Z H E A I K S H O O R R T T M
L O P T N G Y D T K H T N S E
N T O E G E D Z K E S S I M H
G K V R N R E S T A U R A N T
O U E P I R M P S C K G P B G
X T R A M P O L I N I N G B R
X T W R M X C R D C S N A C L
O X I K I O C S I D N S E R P
I V U B W U A A Y H L I O M R
E D P A S G N I L W O B C O A
```

BOWLING	GO-KARTING	SKATING
CINEMA	KARAOKE	SLEEPOVER
CIRCUS	MAGICIAN	SWIMMING
COMEDY SHOW	PAINTBALL	THEME PARK
CONCERT	PICNIC	TRAMPOLINING
DISCO	RESTAURANT	WATER PARK

206 Psychology

```
S K C A T H A R S I S M E G K
Q N N M D P R N O I T O M E Y
H I O O A A M S I U R T L A D
P H N I I M P R I N T I N G U
B T O P S T R T M L X V T Q T
E P I E M R A I A O Y A I A S
O U T R M K E L M T S T P A E
O O I S P P E V I A I I U A S
T R N O I T A D O M M O C C A
G G G N O R A T U R I N N R C
I S O A I E O E H T T S T G W
R W C L S H T T R Y I N S T U
S S N I H P R O D N E T I A M
N A T T A C H M E N T M T C S
S I S Y L A N A T G C Z O A A
```

ACCOMMODATION	ATTITUDE	ENDORPHINS
ADAPTATION	CASE STUDY	GROUPTHINK
ALTRUISM	CATHARSIS	IMPRINTING
ANALYSIS	COGNITION	INTROVERSION
ASSIMILATION	EMOTION	MOTIVATION
ATTACHMENT	EMPATHY	PERSONALITY

207 Non-alcoholic Drinks

```
C E R K S E P Q R R A Y R A P
E E A P P L E J U I C E S U H
C R E T A W T U N O C O C O Y
I C E C R E A M S O D A T U B
U T K O K I T C I A K C V Z F
J M N F L C T T T L H L G E R
O A I F I E S W I O K G S I A
T N R E N D R G C U K Q Z H P
A G D E G T A O S U R T L T P
M O Y Q W E L T W P J F F O U
O J G I A A E T N E E R G O C
T U R E T A W L A R E N I M C
S I E E E L S U A T K V A S I
L C N O R A N G E J U I C E N
R E E B R E G N I G C I I I O
```

APPLE JUICE	GINGER BEER	MILK
COCONUT WATER	GREEN TEA	MINERAL WATER
COFFEE	HOT CHOCOLATE	ORANGE JUICE
ENERGY DRINK	ICE-CREAM SODA	SMOOTHIE
FRAPPUCCINO	ICED TEA	SPARKLING WATER
FRUIT TEA	MANGO JUICE	TOMATO JUICE

208 History

```
F D V O S J R A A I E E P R T
R A T P R U Z N R S X R O H S
Y R T S E P A T X U E Y A B J
A K R T G T T U O J M G A O J
N A P O L E O N B N I V R U I
N G E N M F S A X O D W B R S
A E O E I A T S G R D O T G C
L S T A M T N R T A L R R E U
S C R G L U A S Z S E L C O X
H I A E T P S A H A A D I I R
T L S L H S R E T Z G W S S G
Y E E Y J I V I U I E A O I H
M R A U S I E S A M S R F E P
Q P C A K S X A A J S R U G E
L I E S H C R A N O M T J P A
```

ANNALS	DARK AGES	NAPOLEON
BATTLES	HAGIOGRAPHY	RELICS
BAYEUX TAPESTRY	MIDDLE AGES	ROMANS
BOLSHEVIKS	MONARCHS	STONE AGE
BOURGEOISIE	MUSEUMS	TREATIES
CAESAR	MYTHS	WORLD WAR

209 Comedian Ellen DeGeneres

```
W L T U Q R G B P A C T A V M
R O L O D I N A C I R E M A S
U T H I Q E L T T I L O D R D
B G E S H S S E R T C A S E A
L G O C K E R S A M B R L K E
O E R O A L I Q L O U E Z M H
P W M N D R A R U R V T K P E
E R S G B B G T U E S T M U N
N I Y Y U T Y D N A T P V D O
H T M C R O S E N K L P Z N C
O E M D U T L G L A A W S A T
U R E T T E L E V O L E H T E
S S H B V T D E C Q V L T S T
E N N E I D E M O C M E I F E
F I N D I N G N E M O Q R W R
```

ACTRESS

AMERICAN IDOL

COMEDIENNE

CONEHEADS

DR DOLITTLE

EDTV

ELEVENELEVEN

EMMYS

FINDING NEMO

GOODBYE LOVER

LAURIE HILL

MAD ABOUT YOU

OPEN HOUSE

STAND-UP

TALK SHOW

THE LOVE LETTER

WILL AND GRACE

WRITER

210 Elementary Particles

```
I V P J T R A A F G L X K S A
T H N L B K Q A T E G P H V P
P I N O X K A N O A R G P T H
Z O Q O B M O I S R A M G I O
C G L U S B E G O U V U I T T
X K N O S O B S G G I H D O O
A F O A S T B E O S T E U P N
E A U F G T B Z L N O T P E L
E V M W B O S O N E N X Q I U
K S I T S M B T T S C A U Z A
X C T O P Q U A R K T T A F T
X B N N O U L G L L L G R J I
P P A C H A R M Q U A R K O T
J L O N I R T U E N U A T I N
A J T F C K V V S A O E L U A
```

ANTIMUON   GAUGE BOSON   PHOTON

ANTITAU   GLUON   TAU NEUTRINO

BOTTOM QUARK   GRAVITON   TOP QUARK

CHARM QUARK   HIGGS BOSON   UP QUARK

ELECTRON   LEPTON   W BOSON

FERMION   MESON   Z BOSON

215

211 Californian Islands

```
T O I E W W S K O D A A Y E R
N Q X R Y F N C T P R N R T A
X I R E E A A O H B A S G N K
S L R K B D M R Z C B A F E W
R O A A V K R N M H R N T M L
V S S N M Z E O E Q A T M E O
A A T S I T H I C M B A E L U
R N J E P M S L I K A C A C D
D N O L L A R A F H T R O N B
Y I P T U S F E E T N U B A H
U C Y T T U G S T Y A Z C S I
S O Z A R T A C L A S O S L R
J L P R I N C E S S N C D V A
S A N M I G U E L I T U S A A
A S U G A R L O A F T I A D L
```

ALCATRAZ	RATTLESNAKE	SANTA CRUZ
ANGEL	RED ROCK	SEA LION ROCK
BACON	SAN CLEMENTE	SHERMAN
EAST MARIN	SAN MIGUEL	SUGARLOAF
NORTH FARALLON	SAN NICOLAS	SUTIL
PRINCE	SANTA BARBARA	TERMINAL

212 Around the Home

```
T E Q M S A P R I T P A J S T
A G G P N E H C T I K T O L S
D F S L O Z S E L I S T N F Y
R U L A I C E I L I N G R X A
S H C A H M I R R O R S E S S
A T Q P S T E C U A F O W K Y
E E N C U N O B A T H R O O M
C P X E C A L P E R I F H O A
J O U L M H P Q I Q O N S B D
D S T L A A A W H J J G R L R
O G S A O A N I E I I C I U S
T M T R T C Y R R F U G A U F
U A E X O A K E O S F J T H W
T L Q A R O H S D E B R S T A
L R R V R A D T I R X X R P V
```

BATHROOM	CUSHIONS	LOCKS
BEDS	DOORS	MIRRORS
BOOKS	FAUCETS	ORNAMENTS
CEILING	FIREPLACE	SHOWER
CELLAR	FURNITURE	STAIRS
CHAIRS	KITCHEN	WIRES

213 Songs from Musicals

```
P Z U T H E A R B I T E R E S
T J E R U R T A G E A F A H U
U K S O R B I H W R L I O B N
G A P O R U V P W E V L X E A
K T S D F E E I B H L F R N N
U A D Y H N A T Q W U O G D D
X T F R Z O T O E E S E B G M
H A A E P S N P I M L L S A O
X M M V V A A U Z O Q C I M O
I A E E B I S L F S D R I E N
E N R E Y R O M E M A I O E L
R U I S B E U U B M K C U O Y
I K C O T S G N I L L O R B Y
R A A L I E E O T D T P U S O
T H E C N A D E H T Y G O R U
```

AMERICA

ANGEL OF MUSIC

BUENOS AIRES

BUI DOI

CIRCLE OF LIFE

CLOSE EVERY DOOR

ENDGAME

HAKUNA MATATA

MARIA

MEMORY

ONLY YOU

POTIPHAR

ROLLING STOCK

SANTA EVITA

SOMEWHERE

SUN AND MOON

THE ARBITER

THE DANCE

214 Gems

```
I A G A T E R E D A J S V A A
Q T O O S X S T U W V L L R O
G M E P O T Y I V S S D E A O
O M U N A D V N O P P N N U H
J H U J R L I A O U C O R B R
K S R Y Z A L Z R M Q C L E U
R L L W R R G N V V Q R Z N N
F V W X H E P A N U L I U O T
U T S W S M M T A C R Z J T S
I L R L D E E R I H P P A S D
O P U A T A T T D N U E S N P
P P B H T Z R T I R P A P O A
S A Y X Q I T V S S J R E O E
P S T U N A A Q B B R L R M U
T F E E Z Y I Q O L E R E A L
```

AGATE	JASPER	QUARTZ
AMETHYST	MOONSTONE	RUBY
CITRINE	OBSIDIAN	SAPPHIRE
EMERALD	ONYX	TANZANITE
GARNET	OPAL	TURQUOISE
JADE	PEARL	ZIRCON

215 Polar Explorers

```
I S P R B N X L X N G G L F V
K N U R E M O C U A M X R R P
M H G E S K F R A N K L I N C
N L H A A S A O E S Q D Y O B
A J R U C A A Z N E I A O S W
I U S O J P S I R N A K L S E
F I T A A T G E U Q S L Y I L
K T R E H S R R F O H I R D L
U T L G G L W T N A G I D A M
P O A R R H E N D R Q Y N R A
U B L R G T A O A S E R A N N
A V R E X I W S G U E R L V I
J Z V W A L P T H S R L I I S
I K T I A Y R A C Q Z E Y U O
O A X T D R F P M U X S W B Y
```

AKER	CROZIER	NANSEN
BOYD	FRANKLIN	NARES
BYLES	FURNEAUX	PUGH
CAGNI	HADOW	RADISSON
COMER	LANDRY	SCOTT
COOKSON	MADIGAN	WELLMAN

216 Deciduous Trees

```
W D P U U I A Z O P D W K A S
E H Y N Q B T M T F R U R T M
N K W R C R K I T Q C I A X R
O L G A M U L H K P E A R R T
F C H D A U L A W U B E E C H
D I H A L O G D I M D E D M A
L B O L H G O T K L L F B I Y
K A K L D O N E E P O E U M R
Y Y I G W S R X A E O N D O V
Q R H G K A O M I O W P G S Z
S O O R P B H C R I B S L A U
Y D L K E P T H O R N B E A M
F N L C C Z W O K T E S Q S R
O R Y A A I A Z U R X Z F H K
T S D L N Q H X I I O T B K S
```

ASH	HAWTHORN	MIMOSA
BEECH	HICKORY	OAK
BIRCH	HOLLY	PECAN
BOX ELDER	HORNBEAM	POPLAR
DOGWOOD	MAGNOLIA	REDBUD
ELM	MAPLE	SWEETGUM

217 Enzymes

```
I  H  D  I  E  R  E  P  S  I  N  A  J  Z  V
D  U  W  C  Y  U  Z  G  E  U  D  D  N  U  T
Z  G  E  S  A  L  C  Y  C  N  O  O  K  C  Z
P  G  K  E  H  X  F  L  U  L  O  A  I  Y  B
V  E  L  S  S  Y  E  P  T  X  R  L  M  O  I
Q  E  C  P  E  A  U  R  I  G  E  A  A  Z  D
E  S  C  T  S  S  L  D  S  L  S  L  M  S  V
H  A  O  E  A  E  A  Y  Y  E  A  D  J  G  E
P  L  W  L  R  S  V  T  M  E  L  O  R  T  S
Z  A  R  A  E  A  E  Z  C  A  O  L  Y  S  A
B  T  J  C  M  T  K  R  C  U  R  A  A  L  N
A  A  U  T  O  L  Y  S  I  N  D  S  E  T  I
B  C  A  A  S  A  T  A  S  B  Y  E  I  P  K
P  S  S  S  I  M  V  I  E  R  H  O  R  T  S
E  F  P  E  S  A  R  Y  P  A  H  B  I  E  A
```

ALDOLASE	ENOLASE	MALTASE
AMYLASE	EREPSIN	NUCLEASE
APYRASE	HYDROLASE	OXIDASE
AUTOLYSIN	ISOMERASE	PECTASE
CATALASE	KINASE	REDUCTASE
CYCLASE	LACTASE	ZYMASE

218 Popes

```
B I S Q R O S I C N A R F S G
C I R X P D D U O V T P S R A
S L D E S N B E N E D I C T R
U U S W L A V M S I E H R F O
I A T T L B N T U R T W X M
R P A S N R F I A T N E L W A
E N N R I E E S N I R O V Z N
B H A Z I R C U T I B O D E U
I O C E S I A O I A A A I O S
L J L C Q T S V N I G N F Q U
R P E T T R L A E N I A A T G
A B T V G R A I L T I P T U S
I Q U R E B F N R S T N H X
D T S T H Y G I N U S F A V O
E P X F O R M O S U S V E M E
```

BENEDICT	JOHN PAUL II	ST AGATHO
CONSTANTINE	LANDO	ST ANACLETUS
DONUS	LIBERIUS	ST EVARISTUS
FORMOSUS	ROMANUS	ST FABIAN
FRANCIS	SABINIAN	ST HYGINUS
INNOCENT	SEVERINUS	ST LINUS

219 Selling a House

```
P A I N T I N G T H K R R S S
A X Z T H V U N C Z X E B O S
C V A P A N A I A P A T F F V
K S A P A I U Z V L L A X L A
I N A R E A Z I E O A N D S L
N P L T G G J S A T B O K W U
G A Z B A L T N T O G I D Q A
N R O U G A U W E S N T Y T T
I I F Y T T O O M G I A P T I
S J Q E R I G D P N R I S K O
O A P R O P N R T I I T I S N
L A S F M A I Z O W A O X O I
C P F E P C V T R E P G C P R
P E M I E O O H A I E E I E T
R W V Q F F M E H V R N H D Z
```

ASKING PRICE	FEES	PACKING
BUYER	LOAN	PAINTING
CAPITAL GAIN	MORTGAGE	REAL ESTATE
CAVEAT EMPTOR	MOVING OUT	REPAIRING
CLOSING	NEGOTIATION	VALUATION
DOWNSIZING	OFFER	VIEWINGS

220 Looking Back

```
J A J P R E V I O U S L Y H S
M N E H W K C A B Y A W D S Y
L C O R A B A G E S A G O N T
O I N F O R M E R T I M E S I
Q E C E S E A B O L E Y A A U
Y N E S R S M T A T K W Q Q Q
B T U G A O J I I C H O A B I
E H P S V E Y M T I K V T M T
N I O O N R E F L E C T I O N
O S N W G A H E O E N R H R A
G T A E G M B S H S O O D E L
E O T O G A G N O L Y I B T N
M R I R C I N T H E P A S T A
I Y M K E A R L I E R V D C R
T H E G O O D O L D D A Y S W
```

A WHILE BACK	EARLIER	ONETIME
AGES AGO	IN FORMER TIMES	PREVIOUSLY
ANCIENT HISTORY	IN THE PAST	SOME TIME AGO
ANTIQUITY	LONG AGO	THE GOOD OLD DAYS
BACK THEN	ON REFLECTION	TIME GONE BY
DAYS OF YORE	ONCE UPON A TIME	WAY BACK WHEN

221 Country and Western Music

```
L S S A R G E U L B B Z V E T
T B T T E T R G U I T A R S H
H A R M O N I C A I Y L N O T
A L R L N N K Z C F S N A J T
A L S K O O R B H T R A G O O
I A H S W S T G E A H S P C U
L D A E M L R R T S S H A I F
D S N V L E H E A R A V T S K
A S I E O N J I T P C I S U E
I Q A E F E A I K I Y L Y M I
B T T R B I I N I D N L C K V
D S W M L L D P N S N E L L R
D A A I Z L U D S Z H P I O I
D P I J B I S E L G O C N F D
T E N Z L W K F S E J T E W R
```

BALLADS	DOLLY PARTON	JIM REEVES
BANJO	FIDDLE	JOHNNY CASH
BLUEGRASS	FOLK MUSIC	NASHVILLE
BLUES	GARTH BROOKS	PATSY CLINE
BUCK OWENS	GUITARS	SHANIA TWAIN
CHET ATKINS	HARMONICA	WILLIE NELSON

222 Mexico

```
B  R  C  T  A  K  W  N  R  Z  D  K  A  H  G
G  G  I  X  I  U  Q  U  C  R  O  W  C  I  S
T  Z  K  A  D  J  A  C  L  O  U  N  U  O  G
X  A  L  L  Q  P  U  N  L  J  T  R  L  U  R
O  A  X  A  C  A  Q  A  I  L  E  R  O  M  A
Y  M  U  P  M  C  E  C  N  Y  H  T  T  T  A
L  E  B  A  K  H  S  I  N  A  P  S  D  F  U
I  X  E  C  B  U  R  O  E  S  Z  H  F  I  S
G  I  U  V  A  C  S  I  G  A  O  Z  C  U  S
O  C  L  U  P  A  C  A  P  N  L  H  L  B  O
S  A  L  T  I  L  L  O  T  I  A  B  R  E  Q
H  L  S  F  C  I  P  E  T  L  O  R  E  E  S
N  I  R  Q  A  A  V  V  C  C  U  O  U  U  L
Z  L  E  O  N  A  M  O  F  Y  H  I  S  D  P
V  I  L  T  R  R  M  N  L  Z  S  Q  Q  J  T
```

ACAPULCO	MORELIA	SPANISH
CANCUN	OAXACA	TEPIC
CHALCO	PACHUCA	TIJUANA
DURANGO	PUEBLA	TOLUCA
LEON	REYNOSA	XALAPA
MEXICALI	SALTILLO	ZAPOPAN

223 Leaders

```
M A P U B T D C Q L S R T U J
F P W S R P H O V E R S E E R
O I G O X I A M T J Q S C S O
W K M H E A D M P H W O S H B
D D V F Z E L A G S C B S N S
L A S L U R O N R E V O G I M
O W H M A I X D K R N U Y A O
S V P R E P R E S I D E N T O
P X D E Q N I R Y J N A R P T
U R P L J U T C S H G G K A H
R A V U F I E O N E D Y O C L
O C U R O T C E R I D U L D S
R T S C H V H T N E R Q P I X
U M C Z A R E E N O I P H E E
A B A I X V Z S R W Y A H B G
```

BOSS	GENERAL	OVERSEER
CAPTAIN	GOVERNOR	PIONEER
CHIEF	HEAD	PRESIDENT
COMMANDER	KING	PRINCIPAL
CZAR	MANAGER	QUEEN
DIRECTOR	MENTOR	RULER

224 Women's Clothing

```
T S A P A E L N W G R E D M X
E K N W O G L L A B Z P V N S
S H A W L N E O T G D Z F Y R
R B T D O O C M S G I R R L T
O R E D B G F H S I A D E S L
C A T S U I T J O O M N R S Y
S U A L U L K H E R U A J A S
R D E E A O P I G S S T C R C
Q Q J E F R L G N I Z F W O H
U L Q H J F Z B S I N A U N E
E S F T S M R M O G J C B G M
O E R L R I Q V U O J I R R I
Z O A A P F H Z D S T R I K S
K L G A R O L R I R S S O T E
U S W N R O K X Q U S J T A W
```

BALL GOWN	CAMISOLE	HEELS
BIKINI	CARDIGAN	NIGHTGOWN
BLOUSE	CATSUIT	PONCHO
BOOTS	CHEMISE	SARONG
BRA	CORSET	SHAWL
CAFTAN	DRESS	SKIRT

225 Computer Parts

```
E U S W F U P E O A O U D T I
Y E Q O C F I Y D T A V R S R
T E W Q P W M L H Y Y E W X T
C S Q P Q O H E D R R M E S W
S P E B N U A R V K O D B O S
E C Y I L T R I B T M C C C A
V S T F S L D L H A E H A E I
I O A I T E D E L A M N M H K
R N N C O D R A C D N U O S A
D K U C S B I R O E M U L E R
D X A O O Y V F R C T E O S T
V R R A E K E Y B O A R D U S
D D R A C B S U P C Q U U O Q
S D R A C K R O W T E N O M M
S U S U Y W J A L S C N S I O
```

CASE	KEYBOARD	NETWORK CARD
CPU	MEMORY	SCANNER
DVD DRIVE	MODEM	SOUND CARD
FAN	MONITOR	USB CARD
HARD DRIVE	MOTHERBOARD	VIDEO CARD
HEAT SINK	MOUSE	WEBCAM

226 Foot...

```
I O R E O A R Q J R X D O P E
I Z R L P O G F R S J T P R W
G A R U T K U Z N A R Q S R L
A T A P E V H L H Z T P A X F
A D T L F J I U X A E Q D X L
E B Q H S A L E A F T E W O U
P N A A R S L U K D R E F P D
F S S C S R F L R K I W Z O D
U F Z G O I E C A R A S Q G S
U A T U Z V P U M O S K T T I
L U D A E R Z D N W G I Z F H
T L O R T A P A T H R G T E I
T T A D A S M E T O N O S R W
E G R B M O E R T U N R A I S
D L O H T A B R G S U E P R E
```

BALL	HILL	PATH
BATH	HOLD	PATROL
BOARD	LEVER	RACE
FALL	MAN	REST
FAULT	MARK	STEP
GUARD	NOTE	WORK

231

227 Roller Coasters

```
I  F  C  T  U  L  A  X  N  E  L  T  O  R  O
K  T  K  A  E  R  T  S  N  A  E  M  P  E  J
I  E  R  A  G  E  F  O  S  K  V  S  R  D  O
N  U  R  W  A  L  T  U  O  E  G  I  I  F  T
G  S  N  Z  Y  I  O  T  J  A  R  P  I  O  N
D  S  A  Y  O  M  T  K  T  I  T  P  R  R  W
A  N  O  I  V  S  S  Q  A  Z  Y  Z  X  C  U
K  C  A  N  E  E  H  O  L  A  G  A  W  E  O
A  P  L  H  H  H  W  A  S  S  J  W  M  H  T
P  S  B  T  T  T  L  L  M  S  I  S  S  A  T
N  G  O  L  I  A  T  H  E  B  O  S  S  I  E
O  T  W  J  R  U  I  F  S  R  H  L  T  S  R
D  R  M  U  L  S  T  V  N  R  T  A  O  B  A
O  O  Z  T  Z  T  E  O  E  K  N  P  L  C  T
D  W  S  T  E  R  I  F  D  L  I  W  P  A  L
```

COLOSSOS	LEVIATHAN	T EXPRESS
DODONPA	MEAN STREAK	THE BOSS
EL TORO	OUTLAW RUN	THE SMILER
FUJIYAMA	RAGE	THE VOYAGE
GOLIATH	RED FORCE	TITAN
KINGDA KA	SHAMBHALA	WILDFIRE

228 Around Canada

```
P M Y E F A E U Y G D W R X M
O T N O R O T I R A L S S A E
R J N I R B B O T T A W A F N
W I L P A G U A S S I S S I M
F A A N I G E R K U H I E L T
P A K U L Z A A L E R E N A O
V B I B Z T T R R I Z R R H D
R A T L R O E B A O N A E E E
P L C Z O A R R I F S G U Y T
O U H N M O M O R E A D T Z S
L T E O O U W P O M O L N O X
F F N K I N G S T O N R L I N
L O E Q U E B E C O A W T S W
L Y R A G L A C I J N R U J V
P Y Z V E L L I V K A O V R F
```

BRAMPTON	MISSISSAUGA	SASKATOON
BURLINGTON	NIAGARA FALLS	SHERBROOKE
CALGARY	OAKVILLE	SURREY
HALIFAX	OTTAWA	TORONTO
KINGSTON	QUEBEC	VICTORIA
KITCHENER	REGINA	WINDSOR

229 In the Ocean

```
I  L  T  Z  D  U  S  Y  I  X  D  P  I  H  A
A  H  P  X  R  A  R  C  H  E  R  F  I  S  H
H  S  I  F  D  R  O  W  S  V  S  Q  S  S  S
C  I  A  N  G  E  L  F  I  S  H  J  F  E  I
Q  F  D  I  U  Q  S  P  F  O  E  A  A  A  F
P  W  S  X  N  C  E  L  E  L  N  T  C  L  N
L  O  Y  O  A  R  P  N  L  G  U  R  R  I  W
E  L  H  L  F  A  Q  Y  T  R  A  O  O  O  O
A  B  L  I  E  A  F  O  T  C  Z  O  S  N  L
L  O  S  E  P  I  O  L  U  E  H  C  N  O  C
P  H  C  A  S  T  E  S  C  I  K  D  B  R  R
J  S  Q  H  H  S  I  F  R  A  T  S  U  Y  N
V  V  S  X  U  M  I  A  O  C  T  O  P  U  S
R  K  K  A  E  C  O  E  A  E  P  D  S  T  U
X  T  W  S  U  Z  P  U  R  F  Q  U  M  O  G
```

ANGELFISH	FANGTOOTH	SEA LION
ARCHERFISH	JELLYFISH	SEA TURTLE
BLOWFISH	LOBSTER	SQUID
CLOWNFISH	OCTOPUS	STARFISH
CONCH	ORCA	SWORDFISH
CUTTLEFISH	SCALLOP	VIPERFISH

230 At a Spa

```
N P A K T T D Z M T A N T S R
Z O T E S N A N U A S K S U E
O P I Y T H E B J P S E Y K I
R E Z T E N T M X I N S P S S
T V Z R A Q E P T L G R A C K
I P U E M I T E L A E I R G E
S M C L F T L E R F E U E N E
U A A A A D W O L G B R H I I
A N J X C E S E F U R T T R K
Y I S A I T X G J X O T A E R
A C M T A O L N T V E A M P E
K U R I L X W A X I N G O M U
I R Y O S E A W E E D W R A P
V E G N U L P D L O C T A P T
P Y Y I B S K A O Q Q G B H H
```

AROMATHERAPY

COLD PLUNGE

DETOX

EXFOLIATION

GREEN TEA

JACUZZI

MANICURE

MASSAGE

PAMPERING

REFLEXOLOGY

RELAXATION

SAUNA

SCRUB

SEAWEED WRAP

STEAM FACIALS

TREATMENT

WAXING

WELLNESS

231 World Rivers

```
E H Y C D P V T U M S W A L E
E Z L H O Y N D P H Y I X R A
M S J E I N E W J U X R I I O
D P E P N S G L K D L Y S C Z
N O Z A M A H O L S A I T N A
I S T X L L N I I O Y C H A E
L R G V G W O N M N W I Q B R
A S N M Z E S W P Q D R R I Z
T Z A M B E Z I O T C U O X N
U A Y S P N F C P U R U S E C
Z M T F N C I A O B U S V F R
Z U H J K A T L X E T O G G C
V S F J E U K H E U L O S S R
Y B C I B U S R E G I N W K A
T I O L A M O R A N G E L Z S
```

AMAZON	LENA	SALWEEN
ARKANSAS	LIMPOPO	VOLGA
CONGO	NIGER	YANGTZE
HUDSON	NILE	YELLOW
INDUS	ORANGE	YUKON
ISHIM	PURUS	ZAMBEZI

232 Pony Breeds

```
L W T R A A C E V I G H Z R S
K L V I J N B O E R B Z Y P L
A M E O R A F C P J B B Q P R
V M S F L D R O O M X E I Y E
A S O I O O E W D I S S P R Q
J Y D N U L T Y Y W G P Q D V
F T N C B U R M E S E A E T T
V T I B E T A N N E A L T S H
U G P A A K U T K J I J S L D
L T T U C T Q G C E Y T Y H Q
O E V E F U A L A S X Z S S J
L A R V A Y H K H M R L U G Y
T O Q O O I X Q M S B X T T X
L A D E R S T E F Y U S B Y I
S T T X L P A R Y V P T A S A
```

ANADOLU   EXMOOR   LUNDY

BALI   FAROE   NOMA

BATAK   FELL   PINDOS

BOER   GAYOE   QUARTER

BURMESE   HACKNEY   TIBETAN

DELI   JAVA   WELSH

233 Only "A" Vowel

```
U Z A V A F E L O M R D P T P
T M L S R S Z B A E G S O K D
H O T N K T Y C P S H P T P F
P V F T C C O J A A A A N Z R
A A R D V A R K B T Z L E N A
R T B P L N T B S T A R C A G
G X A Z L A S A R T R R H D R
A B H T S M N A R A D E A S A
R S A T N L B W H R G R R C N
A S M H P A A U P A H G L N T
P T A A A G C Z B C R O A L F
I T S A N A P A J C O A T R S
X A T N A L T A N A G R A M T
U T Q T M T A S E B K T N I Q
F R A N A N A B A Y W X D U C
```

AARDVARK	BANANA	FRAGRANT
ALMANAC	BRAGGART	HAZARD
ANAGRAM	CANTATA	JAPAN
ATLANTA	CATARACT	PANAMA
BACCARAT	CATARRH	PARAGRAPH
BAHAMAS	CHARLATAN	SAHARA

234 Horror Books

```
F Z E O G N I G H T S H I F T
R L G Q P V H I O S M E S T P
A C A K Y N E A U I Y D G U T
N O S H T P I Z S C R R N M A
K R S R K I R E E R A E I Q Z
E A A X U R R F O O T A N C N
N L P T H Y A L F X A M I H O
S I E G O I C D L E M C H R G
T N H E R L A N E E E A S I A
E E T S N G S K A H S T E S R
I K Y U S J T M V T T C H T D
N A E N O Z D A E D E H T I D
L W S B A U S Y S L P E R N E
A V Y I F I R E S T A R T E R
I O U R P O F O T S Q S I I T
```

CARRIE	HORNS	SALEM'S LOT
CHRISTINE	HOUSE OF LEAVES	THE DARK HALF
CORALINE	MISERY	THE DEAD ZONE
DREAMCATCHER	NIGHT SHIFT	THE EXORCIST
FIRESTARTER	PET SEMATARY	THE PASSAGE
FRANKENSTEIN	RED DRAGON	THE SHINING

235 Computer-based Jobs

```
A R D A T A S C I E N T I S T
O J G N S R E T S A M B E W S
T A A O Y X H W O R Z E M O Y
R D M V L T J E F E S Q F W L
E M E Y A I Q B T K L T D E A
M I D G N D L D W C W R I B N
M N E A A D E E A A R K T D A
A I S M S A R V R H E Y E E A
R S I E M T O E E S G A N S T
G T G T E A T L D L G L G I A
O R N E T E A O E U O U I G D
R A E S S N M P S R L P N N I
P T R T Y T I E I Y V V E E Y
T O E E S R N R G R P B E R I
X R Y R I Y A I N B S N R U O
```

ADMINISTRATOR	GAME TESTER	SOFTWARE TESTER
ANIMATOR	HACKER	SYSTEMS ANALYST
DATA ANALYST	IT ENGINEER	VLOGGER
DATA ENTRY	JAVA DEVELOPER	WEB DESIGNER
DATA SCIENTIST	PROGRAMMER	WEB DEVELOPER
GAME DESIGNER	SOFTWARE DESIGN	WEBMASTER

240

236 Breeds of Horse

```
O K R L I T P R X E K F A U A
U T C R U N F A L A B E L L A
W R P E S I O S A R Y H B H P
J P E T H U M E S S A R A N P
U U R T E Q G L M R O A A O A
A R C O T R I L Q I Q I A N L
P E H R S O D A I W D C D I O
B I E T J N R I R A F A Q F O
R K R V Z E A T N R L L D O S
I O O O Y M N A H U R A I S A
S N N L T L C L S C R B H A L
M T E R Q O U I Z V N R C P T
O U I O S D A A M G J E X I A
P E R S A N O N K Y P S R R I
T A N I H C N O M R T E A F G
```

ALTAI	FRENCH TROTTER	ORLOV TROTTER
ANDALUSIAN	GIDRAN	PASO FINO
APPALOOSA	HECK	PERCHERON
CALABRESE	MENORQUIN	PERSANO
CANADIAN	MESSARA	SELLA ITALIANO
FALABELLA	MONCHINA	TORI

237 Christmas

```
E T D I R I T T T C B M S Y B
V L P R U D O L P H O R L F R
A J N L A V E C E R Y A S R M
P L H D E A Y Y I I J L E T Y
N Q K N A M W O N S R C L H R
S O L N A T I V I T Y B L O R
T O N T B R I X C M R R A U H
M U S X M A E P K A I G A G C
E B R D E M U P Z S A O V A R
I E T K R F K B P T F L N S U
G O O S E A M J L R X D G A H
Z C A N D Y C A N E L V F K C
A M I S T L E T O E S L S S N
A O S R U H P E S O J O C L E
N E K Z D B Y R R T S P V A R
```

BAUBLES

CANDLES

CANDY CANE

CARDS

CHRISTMAS TREE

CHURCH

FAIRY

GABRIEL

GOLD

GOOSE

HOLLY

JOSEPH

MISTLETOE

MYRRH

NATIVITY

RUDOLPH

SNOWMAN

TURKEY

238 Australian Islands

```
J U E V O L S J T O R U Y O I
V N A K K U T T I S E S D E R
A O A I A L L O X I C R A L P
T T N L B L Z A B M Y J G E L
J G S U T B P I I Y O M O Q Y
T N G R A C R N I A W K T T U
P I R R U D S A I K R S S T A
L N E L C H O M A H K B X I R
A R L I O N T S L N T G O S P
S O O C U A T A O G N X C C Y
B M N D R T L T B T D L G X O
A T G O N O E G I P E R R Y R
L U C T N E K L I V T U W L B
Y K P P Q U Y E T E T M I F A
Y I D P E C L A R K Q F E K I
```

BARE	FLY	MORNINGTON
BATHURST	GOAT	PERRY
BIRD	KENT	PIGEON
CLARK	KING	ROCKY
CROKER	LION	RODNEY
ELCHO	LONG	TASMANIA

239 Canadian Lakes

```
I C N G U R R S O E H Y E X W
P V P B I S P L A Y G R E E N
V E Q K Z O S Q T C A O R N E
T E K S S O S S H S L S C R T
H U R O N A I B A K E R E R T
F V F R O P X R B D U O T G I
S M A N I T O B A I Y P E X L
W R R W X Z E P S T S L Q Q L
P C E D A R P N C K N T S I I
P S E K A U J D A M A O C T N
K X D S D R A K P Y B S R H G
S U N O G I P I N K G I B P O
W E I R E S U S X D W A R A D
T M E L V I L L E J S Z S L G
O T R J A N T R A T Y O T E O
```

AMADJUAK	ERIE	NETTILLING
ATHABASCA	HURON	NIPIGON
BAKER	KASBA	ONTARIO
BISTCHO	KOOTENAY	PLAYGREEN
CEDAR	MANITOBA	REINDEER
CREE	MELVILLE	SIPIWESK

240 Words with Three "E"s

```
L B P R E C E D E Q E D P B K
W R P I L G R C D E E P W S L
A E A A L O D E N E L N I C R
O V V U E A K E P E T T L W L
N E R R N E E E U L S T E T R
E R B O E W N L E K E S W E E
S S E R U S T V Y X E H E O B
M E O Z Q Y E A T P T K J S V
Z S Q T E R R O L E Y E T T
E L D T E L E A P U L V B M O
S L T T I M D L T C E R R U T
E N E R E S L E R R D T F A T
E V O V J U L S E L U X Y M W
H D H E E M V X T N S E R I U
C S F R E N S T L A B C R S I
```

BEETLE	ENTERED	PRESERVE
BEJEWEL	ESSENCE	QUENELLE
CHEESE	EXTREME	REEKED
DEEPEN	LEVERET	REVERSE
DELETE	NEEDLE	SERENE
ELEVEN	PRECEDE	SEVERE

241 Flawless

```
P B W I T H O U T E Q U A L T
P T E F N P I R V N D P T U Y
Q I M P E C C A B L E W N H L
Q A M N L T O X P R L M A E U
C S U M B T A M F P A G S N F
G N V T A A B E P T V R S M R
S I P S T C C R C A I U L A E
L A E D I T U H E G R R L T D
J R S Z M I E L E P N A L C N
M A U T I D T I A L U Q B H O
E O B M N T E S M T I S W L W
U Q L O I S S E L R E E P E E
E D I D N E L P S R Z I S S J
V F M E D E L A U Q E N U S E
T J E L I V G U H M V L Y J O
```

IDEAL	MODEL	UNEQUALED
IMMACULATE	PEERLESS	UNMATCHED
IMPECCABLE	PERFECT	UNRIVALED
INCOMPARABLE	SPLENDID	UNSURPASSED
INIMITABLE	SUBLIME	WITHOUT EQUAL
MATCHLESS	SUPERB	WONDERFUL

242 Control

```
S R A U T H O R I T Y V B W X
R Y I S S U T H R S J M R R P
A A N I C O O H F I U A S V R
T W F A P E V L G W R S L U B
A S L D Z L N E C I I T L G H
T S U U N E V D R H S E A T E
A R E P T A N D A E D R M U G
P D N M R D M I D N I Y E N E
E S C N R E D M L S C G T V M
E R E Q J R M C O P T Y N U O
D T E I O S R A R C I U E T N
R Q M W J H S P C U O C L G Y
O U I T O I S E F Y N C S T J
S O G A V P R O U J S O S I Q
U M V N X H N O I T C E R I D
```

ASCENDANCY	HEGEMONY	POWER
AUTHORITY	INFLUENCE	RULE
CLOUT	JURISDICTION	RUN
COMMAND	LEADERSHIP	SOVEREIGNTY
DIRECTION	MASTERY	SUPREMACY
DISCIPLINE	OVERSIGHT	SWAY

243 Lakes in Nevada

```
Y T U F N O A O F D R F T T P
Y P L X U Y U F R A S T Q E F
S L V R R E S H M D U W U Z E
E E Q E M C W U T O E O H A T
W G I L U H G M N S R N L X T
A N U T D O G B O N E S J V A
I A W S Z A I O S H E M N R Q
D I M A R Y P L N A J O Q G T
L D T C L A I D I A L W R N M
R L A P P K V T B B R A Q A T
L S U O P N E G O M E U E J O
Q M G S R O R R R R Q R U H A
D U Y L S L D S B O X O T Q O
Z E R I Q R I R P I O H I Y Q
R B J A A P Z W I E T M O T B
```

ANGEL	HUMBOLDT	SEITZ
BOX	LIBERTY	SNOW
CASTLE	MUD	SODA
DOG BONE	PAPOOSE	TAHOE
ECHO	PYRAMID	VERDI
GROOM	ROBINSON	WALKER

244 Words Containing "Nn"

```
F R E S E C P I V M M R D B P
E L E A L T T T Z D K P M U H
B Z E N K E N N E L N U S O I
T C E N N O C N E T G J T A S
T S P O W I N N E R U O S T E
O K K Y P I P R O U P C I J C
H X G I P U L S U N N Y S J S
F U N N I E S T W O N N I M V
S H L G I R S N E Z O A C S Q
R L I E R V B A S N A W C E G
E E I U N E I Y S Y N S J L E
N N N K D N N N O A T A S G C
N N H N O M A N N I C U G Q Y
A U S R U O R H I O T O P L E
B T A U I R J Z C D C Z X Z G
```

ANNOYING	CONNIVING	PINNED
BANNER	DINNER	RUNNER
CANNON	FUNNIEST	SPINNER
CHANNEL	GANNET	SUNNY
CINNAMON	KENNEL	TUNNEL
CONNECT	MINNOW	WINNER

245 Security Measures

```
R F A N T I V I R U S J O B C
S S E E T H I I F X G X U J B
H F S N R C G I V P L R I P O
O I S E C U R I T Y G U A R D
P F N T C E T J L L F S I V Y
X G V O W U R A A D S D S C S
A O U A I O R R N P O R E S C
A L L A L T A I O G D O Y H A
L L D D R L P R T E I W L A N
S O F I A D T Y E Y U S J F N
J X E R P C D A R S G S Q R E
R J M N H D O O R C H A I N R
O A H E F A S B G N N P T A T
K E C I L O P X S T E X E P
S K C O L D A P L K G C O P E
```

ANTIVIRUS	FENCE	PASSWORD
BODY SCANNER	FIREWALL	POLICE
BURGLAR ALARM	FLOODLIGHT	SAFE
CCTV	GUARD DOG	SECURITY GATE
DOOR CHAIN	PADLOCK	SECURITY GUARD
ENCRYPTION	PASSPORT CHECK	SIGNATURE

250

246 Names Beginning with "R"

```
M Y A L B K S A I U S F N O L
L T U Y T K L B S P H V T E L
T H L A W X E R A U Y S F P G
E Q P D T S A O U R R B E A F
T P T L N F Y U L S Q I U O V
A S N R A O T A A U I E K R X
D L L E O R M R A K G O U U T
K U L E T B I Y N I S P H T T
R A E H H E E T A D E T N H I
K O S A T C S R F R O L A N D
S A S S V N A O T A A S Y X P
P T U A S I A R R H O D R I S
M B R M N S C M S C A S P R A
U S D U A N B O O I K S B A P
P U F A C C E B E R O D N E Y
```

RACHEL	RHODRI	ROSANNE
RAFAEL	RICHARD	RUBY
RAISA	ROBERT	RUPERT
RALPH	RODNEY	RUSSELL
RAYMOND	ROLAND	RUTH
REBECCA	ROMAN	RYAN

247 Classical Music

```
I  O  S  R  A  S  M  U  F  G  M  A  F  R  S
R  Z  G  E  E  U  V  M  O  C  J  R  C  N  V
T  D  Z  Q  G  A  G  J  R  O  U  G  B  A  S
A  E  N  U  M  E  N  A  B  U  C  C  O  R  L
B  N  F  I  O  D  T  I  L  F  V  N  L  I  A
V  A  A  E  N  N  H  D  T  F  U  E  E  C  Z
V  V  I  M  T  O  G  A  K  A  R  M  R  E  S
S  A  S  R  K  R  N  O  I  T  V  R  O  R  U
M  P  Y  T  A  L  I  A  U  S  B  A  O  D  Y
G  U  R  I  J  M  T  P  C  L  S  C  C  U  L
P  I  P  W  T  H  E  P  L  A  N  E  T  S  P
L  R  M  O  P  X  U  V  W  F  J  D  M  V  Z
T  C  S  T  D  O  N  C  A  R  L  O  S  N  I
S  C  T  C  M  A  I  W  F  H  N  Y  F  T  A
A  E  K  J  R  E  M  A  L  T  I  L  K  B  L
```

AIDA	DON CARLOS	NABUCCO
AVE MARIA	EGMONT	PAVANE
BOLERO	FALSTAFF	REQUIEM
CANON IN D	LA MER	RONDEAU
CARMEN	MESSIAH	THE PLANETS
CAVATINA	MINUET IN G	TOSCA

248 Indian Ocean Ports and Harbors

```
R Z E T B T M U S C J Y Y R X
P A N R U P Z U U A D M M A U
R I F B S P V D S A V X P G U
M I R E S E D K R C S E S N A
S S Z Y E A E B A S A B M O M
I M I P L M A A R R Y T A G K
D F P O T A O T U P A M L A O
V Q R R O H U T O A S C E T E
A E R E N A H A R T S G H T S
U B J R M J O P P A R A D I P
J A E X F A B G N H L H F H H
L L T I A N N A B R U D D C D
T E T T R G N T T O I H L A P
R Q E H S A D A L A N G Z S O
I E N Y A B N I L E M A H A T
```

ALANG	DURBAN	MALE
BEIRA	FREMANTLE	MAPUTO
BEYPORE	GOA	MOMBASA
BUSSELTON	HAMELIN BAY	MUSCAT
CHITTAGONG	KARACHI	PARADIP
CUDDALORE	MAHAJANGA	STRAHAN

249 Burrowing Animals

```
C T S W A A O J I E A E T N P
O H F Z S I T P F F Y R O C U
Y D W S A A C M Y L O T P F N
P B T S L A E R F R Y P N F R
U A L Y M F T E O E R U T H C
L B F I L E R U Q H T Y K T A
I A N Q B U S S A T U U T A D
T K E R A H A M T U O S B O B
E M A M D M S O C F P J J T P
Y K T E G T L I B R E G R S Q
Y E I E E A C X E R O R W H I
R W B R R A M O U S E R R R T
S S B K D I O F E W L J A E T
Q X A A R D V A R K O Q Y W T
A G R T X Y U T I K M A B I S
```

AARDVARK	FOX	MINK
BADGER	GERBIL	MOLE
BILBY	HAMSTER	MOUSE
CICADA	HARE	RABBIT
COYPU	JERBOA	SHREW
FERRET	MEERKAT	STOAT

250 Clean

```
E S O R R S E S K T Z Y E I S
J J L A W D E H S I L O P J S
T A X R D E B B U R C S T M Q
F Y M Y E H I L V T B L C S E
R B S S K S G S A D E W U W T
I M R A R I A E S N E A N T I
T Q P N A M C N H N K H U M S
W T P D M E I I I A L C S T T
I P U I N L O T N T L A E A K
I T J J U B X S Y E A R D E W
X J S B R N F I A P I R H E K
T A P N U U H R S L Y G Y T S
C E S U E R U P E M P T Y I O
I I P G T G W M M S O U V H P
U O O W Z N E R E R H C T W P
```

BLANK	POLISHED	STERILE
CLEAR	PRISTINE	UNBLEMISHED
EMPTY	PURE	UNMARKED
FRESH	SANITARY	UNUSED
HYGIENIC	SCRUBBED	WASHED
NEW	SHINY	WHITE

251 Words Ending in "My"

```
R S I L A R G O V Y S O V T U
Z N Y G D Z A C S N V L A M C
A Y M R O T S R K I C R E O E
U M Y Y J S T E A M Y U U R S
N O N M H H R A Y M Y M U I C
I O O E E A O M E M U M M Y S
R L P H C L N Y R V A Y R S R
T G E C O C O A M I R E Q A U
A Q U L N X M T T A H B R X B
E A P A O S Y I P O F J A D C
X B X Y M E D A C A M N M T W
X P N B Y T A Y M M U Y I A Z
B X K R I T M P I R L S M M T
P G X O E D S H J R N E D R N
O U P Y N A C N A R Y I P N B
```

ACADEMY	ECONOMY	PTOLEMY
ALCHEMY	EPONYMY	RUMMY
ANATOMY	GASTRONOMY	SMARMY
BARMY	GLOOMY	STEAMY
CREAMY	INFAMY	STORMY
DREAMY	MUMMY	YUMMY

252 New York

```
P D L T J P G G M U S E U M S
Z A N H U D S O N R I V E R R
B R R A E S H O P P I N G L E
L T T K L L A H Y T I C D B P
Q O I C A S I T Z C O E I R A
E S M E S V I P I T P R R O R
X D E N S N E S R A H B A C
N I S T A T E N I S L A N D S
O F S R G T S E U L B R Y W Y
R I Q A P A T I U E L L A K
B P U L C R J A R Q R E K Y S
E F A P S Y A B H U X M O Z O
H I R A K G A L A N O S O S K
T E E R T S L L A W A T R A I
T T T K P P T D F S T M B L H
```

BROADWAY	HUDSON RIVER	SKYSCRAPERS
BROOKLYN BRIDGE	MANHATTAN	STATEN ISLAND
CENTRAL PARK	MUSEUMS	THE BRONX
CITY HALL	PARK AVENUE	TIMES SQUARE
ELLIS ISLAND	QUEENS	TOURISTS
HARLEM	SHOPPING	WALL STREET

253 The Wild West

```
F A K K R S U A O J A A T E Y
F E T R D L S W E U L J H G T
I E T G V I O Z R E R K A Y J
R D W S S A P D W E N E W T Q
E E L F F D E A W L P U A E A
H P I S G P G P L A S S O R C
S M H T U O O H S R N T E S A
T A S T N S U L R I C T T P M
E T Y A S O R T F A G J E S I
T S O E L Z R E L T S U R D X
S X B B I O R F W A H V O U P
O S W K N A O U I A W A R E E
N V O E G R A N C H R W K L M
P O C R E R R A T Y T D A F Y
A D M C R U A A X Q V S S U R
```

COWBOY   LASSO   SALOON

DEPUTY   OUTLAW   SHERIFF

DUEL   POSSE   STAMPEDE

FRONTIER   RANCH   STETSON

GUNSLINGER   REWARD   WAGON

LARIAT   RUSTLER   WANTED

254 US Birds

```
D Z T H U A R W R H L L P H Y
E R E S O O G N A I I A W A H
S W D A E H D E R U A R I G F
J Z R E N Y I E G D U N L I N
G A I U L I A T R A Q U L B L
X R B U F F L E H E A D E I O
Z P F I P F O R P F I C T S P
T W R S R R F W E N N Y Z K B
A O U I Q U E A L M R E M R A
U N S O W O O D S T O R K C S
I T H T E W M M C P F P O L E
J W E I K E V O D V I S A D O
N X Z S N I K P M I L O I S L
C N N B T G Y P T G A P C L J
T P E L I C A N L O C A R S R
```

ANHINGA	HAWAIIAN GOOSE	PELICAN
BUFFLEHEAD	IBIS	REDHEAD
CALIFORNIA QUAIL	JABIRU	RUFF
DOVEKIE	LIMPKIN	SURFBIRD
DUNLIN	MERLIN	WILLET
ELF OWL	OSPREY	WOOD STORK

255 Tough to Spell

```
E M B A R R A S S F E L I P A
T A E E L U C S U N I M E R T
A Y L C V T G N O H T H P I D
R X L N P A H T K A I L U V L
A S W E K M U I N N E L L I M
P S E I T N A N E T U E I L E
E F T C E I B Y A R Q U V E M
S O H S O T N R O Y A X B G E
S E E N Q M A I L N H R X E N
L L R O J L M L F A N N C S T
H A O C I L L I U E X A Y H O
S L M H T Y H R T C D U I S Y
N H X A S H E R G T O N R S J
P E E T N A R A U G E N H D E
P T Z R T E E K A D L D I C C
```

BELLWETHER	EXHILARATE	MEMENTO
COMMITTED	GUARANTEE	MILLENNIUM
CONSCIENCE	HIERARCHY	MINUSCULE
DEFINITELY	INOCULATE	PRIVILEGE
DIPHTHONG	LIEUTENANT	RHYTHM
EMBARRASS	MAYONNAISE	SEPARATE

256 Colors

```
Q A R D S R Z P E L I L A C L
O R B L U E T S I L V E R A K
S F V O U C T K N I P I I N A
H I J G S T G I K E M R T E Q
E G Z R S G E C H S D P U B J
X M E A Y E L L O W O J P P H
R D E Y C Y A N O R Q Y U J R
M F R U I V O R Y I E I Y S N
Y S N V B L A C K U V A A S S
X P R U M N E E R G R P F U B
C S X A G W E G H A L U S R T
A E S E Q O X I V S C Z K I A
Q L X I Z R R E P T E W K F B
S P T P Q B X B U C J A C S M
C M U E L S O U I R G M C G H
```

BEIGE	GOLD	PINK
BLACK	GRAY	PURPLE
BLUE	GREEN	SILVER
BROWN	IVORY	VIOLET
CRIMSON	LILAC	WHITE
CYAN	ORANGE	YELLOW

257 House...

```
J  P  S  S  W  A  H  H  D  L  I  E  A  S  H
P  S  T  O  P  C  P  C  R  S  T  E  G  A  X
K  H  S  T  A  W  Y  I  A  B  U  J  C  K  P
M  D  E  I  R  S  P  S  D  N  Z  Z  M  X  U
L  R  U  J  T  S  L  U  A  L  O  C  A  B  X
U  S  G  O  Y  T  S  M  T  A  O  B  L  C  X
R  V  U  S  R  R  E  A  S  D  H  H  E  H  I
L  G  T  Q  L  P  O  R  E  B  M  U  N  T  S
M  P  C  R  A  F  X  T  R  P  A  W  S  P  S
E  S  H  O  U  D  I  I  R  E  P  E  E  K  G
X  D  G  A  U  A  I  N  A  A  L  Z  L  U  O
K  I  G  U  R  J  O  U  C  C  A  A  U  I  B
R  O  R  A  M  P  O  X  A  H  N  L  R  M  L
A  G  I  R  A  O  S  T  L  O  T  F  X  S  K
E  L  M  C  Z  I  Z  M  L  T  C  A  N  Y  L
```

ARREST	HOLD	PARTY
BOAT	KEEPER	PLANT
CALL	MARTIN	PROUD
CAT	MUSIC	RULES
FINCH	NAME	SITTER
GUEST	NUMBER	SWAP

258 Adverbs

```
Y T P G P R C P X L L J D P T
E S B J R B S T A E C I W T L
B U E S C F T M E S K O R H U
O A T S Z A A A K S B C K E L
O R D G P Z G Y A E C A O T Q
M U T O I E Q D A N I R J E L
R T A N R S C U R T X E N U G
R H G L D I T I E I L F U N T
J L Y T W I N Y A A A U X J B
Y E F W F A M G L L W L T L R
U S G U R C Y L L L L P Y I
Q S L O R H G S Y Y A Y U E S
Y L L A C I Z Z I U Q Y D S K
Y Y U T H T U E M L Y V O C L
T A S Y L R A E D E N S E L Y
```

ADORINGLY	DEARLY	LOYALLY
ALWAYS	DENSELY	NEXT
AMAZINGLY	DIMLY	QUIZZICALLY
BEAUTIFULLY	EAGERLY	REALLY
BRISKLY	ESPECIALLY	RUTHLESSLY
CAREFULLY	ESSENTIALLY	TWICE

259 Asteroids

```
L L U A W A R E A Z F A Q Q P
O A R A H R E O E L U Z G E V
T F T K T G N R F R L A V A N
B K O D E B H I O O S T M E T
S U S R A B P R F A S U Y P R
A Y I I T P A P O P H I S U Z
P A L Q T U D M L Y S A R I K
P P O V S E N T B K Z C S I S
Q O S A I N M A R E T N I P A
E R N E E A E S A E R N P A V
P U K I R T P A T L H G R L I
O E H G A E S I S E H C A L S
P H C Y O M C I E B E V Y A E
T S U H E P U W V Y P O V S D
T N G Z D B L L T C R Q T T P
```

APOPHIS	EGERIA	LACHESIS
AURORA	EUROPA	METIS
BAMBERGA	FORTUNA	PALLAS
CERES	HYGIEA	PSYCHE
CYBELE	INTERAMNIA	SYLVIA
DAPHNE	IRIS	VESTA

260 At a Wedding

```
L E K U M D E O A K T C X I L
I P S E T G H O L U E S Q O Y
D I Q D D X N U T R K B Q V M
O R E N N I D I T I A P C S K
K K W Z O T R N C L C H K T F
L C C S I N B L N U I R S I
U D V P H O T O G R A P H E R
S O R A A A O P C X I D O U S
P J T E R N M H E S S N O G T
G I F T S Q S P L C E A G X D
V A A Q U S C A A O E B V S A
X U H G I M O O R G A R E Z N
R G G Y T W T W J A N K Q O C
A Y E V S Y J F L O W E R S E
V S D H T T Y A B S S U B G M
```

BALLOONS	DANCING	GROOM
BAND	DINNER	GUESTS
BRIDE	DRESS	PHOTOGRAPHER
CAKE	FIRST DANCE	RECEPTION
CHAMPAGNE	FLOWERS	RINGS
CHURCH	GIFTS	SUITS

261 Birds of Prey

```
L W O N R A B A L V C A B S L
U G V O A R R R W E O N U A T
B B O C A B N R O A N J Z P W
A A L L H L W I E R D T Z V G
G R S A J A E K L W O L A R U
G R C F C C R A T R R R L K
S E C R B K B R T O E F D E T
P D I Y F V K A I H S M J R H
C O F G U U T I L S S P E T O
U W W M A L A L T D H F R S B
E L T S L T Z G L E E A B E B
I R S Y D U B G O S H A W K Y
W X P D N R E D K I T E G K J
P O L T L E S N O W Y O W L Y
J O M D A S F G V G K T T K E
```

BALD EAGLE	CONDOR	LITTLE OWL
BARN OWL	GOSHAWK	MERLIN
BARRED OWL	GYRFALCON	OSPREY
BLACK KITE	HARRIS HAWK	RED KITE
BLACK VULTURE	HOBBY	SNOWY OWL
BUZZARD	KESTREL	URAL OWL

262 Miley Cyrus Songs

```
O A L E S L E E N O E M O S M
L C P L T U A N R I T N L S P
N I A G A U O Y E E S W T P N
U M W N R B N S T L M P X O X
T I F W T A G H C M O T K T Q
B S R U A B E N K Q I J L S N
R S S L L C E V I R D C A T W
E Y Y A L L W T V K G U W N R
A O F I O T C T A A C S Y A Q
K U M R V I S I H M M E T C S
O B U A E O V Y R A E P R E O
U O Y E R O D A L C U D E W U
T X L V L O P I I W L F B A T
Y E G O O D B Y E U T E I S B
V U P R L U R E T H G I L O R
```

ADORE YOU	GOODBYE	SEE YOU AGAIN
BREAKOUT	I MISS YOU	SOMEONE ELSE
CAN'T BE TAMED	JOLENE	START ALL OVER
DOOO IT!	LIBERTY WALK	THE CLIMB
DRIVE	LIGHTER	WE CAN'T STOP
FULL CIRCLE	MALIBU	WRECKING BALL

263 French Cheeses

```
E R B R I U U N O D R A L E P
U R L R O Q U E F O R T O H U
M O R B I E R Y C U L L A U A
E O C I K A R A C L E T T E N
O D O E A R M S Q M L C B Z J
I S S M B A K R R M H S T S L
S L S A D A E T T E L O M I M
C H A O U R C E V G L W F Q L
L N U L I V A R O T L A J H P
F R I P T R O F U A E B S W N
G E R I A T C E N T N I A S I
T T A N I O R G L U I T N F K
L M T N I S R U O B A N O N P
L O Y M I E R M K C A I K P B
U C T V S A A F C E I R O G E
```

BANON	COMTE	PELARDON
BEAUFORT	LANGRES	RACLETTE
BOURSIN	LIVAROT	ROCAMADOUR
CABECOU	MIMOLETTE	ROQUEFORT
CHAOURCE	MORBIER	SAINT-NECTAIRE
CHEVROTIN	OSSAU-IRATY	SALERS

264 Physics

```
E P Z E F W O R R Y D E E P S
M M O P S A R A Y X N H M B A
R T K H C A M M E T E R I B U
Y I B A I G L U H S Q N S R A
A U I A M M I A N X E O S L T
W P S M A A L N X U L F I B I
H O E S N P M C O U C F O L V
Y W R Y Y E M A T R I O N A O
B E U K D S U E C N T R E D L
P R N B O A Z T E O R C O T T
S S U E M E S Q R S A E E T A
U B R E R E N T R O P Y A L G
A L J O E G L P A B N R T Q E
R S E A H A Y V I Y U L M O E
N P H O T O N R K S K U R H C
```

ABSOLUTE ZERO	ENTHALPY	PHOTON
AMMETER	ENTROPY	POWER
BOSON	FLUX	SPEED
ELECTRON	FORCE	THERMODYNAMICS
EMISSION	NEUTRON	VOLTAGE
ENERGY	PARTICLE	WORK

265 At the Theater

```
E F A E A U T T A M P A A I S
A L L D E N S E M B L E R R L
K A L A T O W T E O R J I E L
S R L C C S R K L R B T O N A
H E T T A I I S M C E P E C C
J T E R R S L H H T M O O N
S C M E T U U T E E U O R I
R A U S N Q P Z M S S D E E A
A R T S E T R T Y T A H G S T
C A S T I N G D I R E C T O R
T H O R F V U C O A E N B U U
O C C P N M S F R P E N C H C
R S E O U V A S T I I U E C K
S T E D I S A F C T S A J C Y
E B A C K L I G H T P I R C S
```

ACOUSTICS	CASTING DIRECTOR	ENTR'ACTE
ACTOR	CHARACTER	MUSICAL
ACTRESS	COSTUME	ORCHESTRA PIT
ASIDE	CURTAIN CALL	REHEARSAL
BACKLIGHT	ENCORE	SCENERY
CAST LIST	ENSEMBLE	SCRIPT

266 America's Tallest Buildings

```
R  T  I  R  E  W  O  T  A  L  L  E  P  A  C
E  E  R  E  W  O  T  S  M  A  I  L  L  I  W
T  U  T  T  E  Q  J  J  S  A  T  S  C  M  L
N  S  U  N  T  R  U  S  T  P  L  A  Z  A  R
E  B  R  E  E  M  P  I  R  E  S  T  A  T  E
C  A  E  C  C  A  L  A  W  C  S  M  S  T
N  N  W  P  H  I  A  Q  U  A  W  A  S  A  N
I  K  O  U  R  A  D  I  F  P  A  C  T  T  E
L  T  T  O  Y  P  S  S  B  A  Y  M  E  P  C
K  O  Y  R  S  T  N  E  T  M  T  O  R  D  N
N  W  E  G  L  P  S  R  T  O  U  C  P  X  O
A  E  K  I  E  X  L  B  S  O  W  L  S  C  A
R  R  H  T  R  O  W  L  O  O  W  E  O  J  L
F  C  W  I  L  L  I  S  T  O  W  E  R  C  V
R  O  X  C  P  A  R  K  T  O  W  E  R  C  H
```

AON CENTER	COLUMBIA CENTER	PARK TOWER
AQUA	COMCAST	SUNTRUST PLAZA
CAPELLA TOWER	EMPIRE STATE	US BANK TOWER
CHASE TOWER	FRANKLIN CENTER	WILLIAMS TOWER
CHRYSLER	IDS TOWER	WILLIS TOWER
CITIGROUP CENTER	KEY TOWER	WOOLWORTH

267 US Television Shows

```
B X W I V S R H H Y H Y L L L
F O I B T U O S R R B A N R E
R L H C R P C L I R W U T T L
A M O S P E U H E Q A E H A V
S O U W O R U A E C M H E F I
I D V F R G K A X E E O X D M
E E E F R I E N D S R U F G S
R R R Y N R A E E C I S I J I
Y N L G U L K C U H C E L G C
X F B W E N T O U R A G E H N
G A M E O F T H R O N E S X N
D M R P T R R S T H I R T C Y
N I R U K T P P P S D P M I S
D L E F N I E S S B O N E S L
P Y J B O H M E U T L L W P N
```

AIRWOLF	ENTOURAGE	MODERN FAMILY
AMERICAN IDOL	FRASIER	NCIS
BONES	FRIENDS	SEINFELD
BREAKING BAD	GAME OF THRONES	SUPERGIRL
CHEERS	HOUSE	THE X-FILES
CHUCK	LOST	WEEDS

268 American Classic Cars

```
E B F A W S S V R V F M T P V
G V R L I N C O L N D F O T N
D N I J A V L A M O A N Z T R
O P A R K W O O D I T E Q L E
D R L T E W P Y R I P O L A B
A D E I S Z V L A H L S T B G
X B B I C U A C Y G I L P U V
H U D S O N M R A M E Y A I E
X L Y R E P P I L C O R G C B
B A S D T I O N G O O U O K I
O B T K Z A S V A M D C T R E
O R L D B C O R S A I R A H I
E G R F H T P R I V I E R A Y
J U R P E U O D E E W M A U L
I D C S R M R G X T W I S G P
```

BEL AIR	FAIRLANE	PLYMOUTH
BUICK	HUDSON	PONTIAC
CADILLAC	LINCOLN	RIVIERA
CLIPPER	MERCURY	SARATOGA
CORSAIR	MUSTANG	VOYAGER
DODGE	PARKWOOD	ZEPHYR

269 Blackjack

```
C Q Z C J O F A S T T I L P S
Y U S O F T S U T F Z N A Y D
D E T H I R D B A S E S S S G
I O N C O L U M N J A U F K L
Z X U O A E V D D O R R T R T
P B O B M R G L R R K A E E M
K E C L L N D A E A H N E T R
X C D L I E E N M S C C R V P
E A E L L A D V A E L E L O U
L D C Z A E S O E H F X L S E
I P N G R T I E W P D R T O M
E S A B T S R I F N H R Q I H
V R L U O T N X T J G S A S N
E M A G H C T I P T L A U H L
U P B U S T C A R D R A C P U
```

BALANCED COUNT	HARD HAND	SOFT
BUST CARD	HOLE CARD	SPLIT
CUT CARD	INSURANCE	STAND
DOUBLE DOWN	PITCH GAME	SURRENDER
EVEN MONEY	PUSH	THIRD BASE
FIRST BASE	SHOE GAME	UPCARD

270 Music Equipment

```
A D S T T E M J A L R C Y Y L
S C R E Z I S E H T N Y S R C
T S O A N T K K T C A B L E S
K P T U O O A M C S I Q J I T
V E I D S B H O U E Y B T F F
W A N I E T Y P F R D S J I R
A K O O R L I E D C D J A L E
S E M R H G A C K A W Y D P X
G R O E E P A Y P I E A R M I
L S I C I N O V U A L H C A M
K V D O J A U R D N N L J L J
U V U R D P I T C K I E T S D
U T T D I S T Z E I I T L T W
M H S E F R E T U P M O C S S
R T A R E V E R B U N I T G X
```

ACOUSTIC PANELS	DJ DECKS	PA SYSTEM
AMPLIFIER	DJ MIXER	REVERB UNIT
AUDIO RECORDER	DRUM KIT	SPEAKERS
CABLES	HEADPHONES	STUDIO MONITOR
COMPUTER	KEYBOARD	SYNTHESIZER
DELAY UNIT	MICROPHONE	TUNER

271 Italy

```
T P R T X Z T O A U B S L R S
N R Q A D H M N A C I T A V U
B A R O Q U E S P R E S S O R
T N D V E C F L O R E N C E A
C E V Z E U A I C N I V A D W
U I V K N R O T A L E G L D O
U S H S R P R S H N F X A O C
R Y S Z A T O P I E A S S N C
O U X O R O M C H E D P I A J
O E Z I Q P E M N D A R L T L
O U L I S L I H R A P H A E L
T E I Q U T Z Z X T L K N L S
T X Q P O U L L Z S R I O L S
H U K K A P P K W A Q R M O L
R T B S U X D M P P T E E S E
```

BAROQUE	GELATO	PIZZA
CATHEDRALS	LA SCALA	RAPHAEL
DA VINCI	MILAN	ROME
DONATELLO	MONA LISA	SIENA
ESPRESSO	NAPLES	VATICAN
FLORENCE	PASTA	VENICE

272 Words Beginning with "D"

```
A G T D K U A C R S K T F D E
C P K A X A S R R R Y M I G P
S H M I K F V K R A M N E D D
A S S U O I B U D T I N I I E
W I W A S P A I L N D F M L L
D N A I T D S N G I F E T A B
K S O K E A D J N E N E A T A
J X Z I S L L O R S D E F E R
G I D T T M S E I W S D R L U
R I E Y R A N O I T A L F E D
T R L H U T N K K B C O E U G
M A Z R S I A O B Z R E S D U
J L Z M U A A L D I G I T A L
D E A M R N E P J B K W V C W
F H D O N K E Y E D S T A C S
```

DABBLE	DIFFERENT	DISASTER
DALMATIAN	DIGITAL	DONATION
DAZZLED	DILATE	DONKEY
DEFER	DIMENSION	DUBIOUS
DEFLATIONARY	DINING	DUEL
DENMARK	DINOSAUR	DURABLE

273 Actor Bruce Willis

```
S S R N O I T C I F P L U P B
S S Y E K N O M E V L E W T J
V U O Z P H Y E E H S S T H F
R N R V G O H A L A U Z U E P
O S A O E P O J B B R L A S H
R E A U T R S L A S R D O I S
R T D S O C T B K A O R P X S
E A T I Y S A H A K G A E T Z
T V L N K N G E E E A H H H P
T X F C D E E V R H T E R S P
E G E I S E H T B T E I S E N
N E T T Q Y O T N K S D A N C
A S I Y R A T L U C Q I G S U
L A Y T H E F A V O R I T E U
P L R V K Y T U I R M Z S C Q
```

ACTOR	OVER THE HEDGE	SURROGATES
BANDITS	PLANET TERROR	THE KID
DIE HARD	PULP FICTION	THE SIEGE
HOSTAGE	ROCK THE KASBAH	THE SIXTH SENSE
LAY THE FAVORITE	SIN CITY	TWELVE MONKEYS
LOOPER	SUNSET	UNBREAKABLE

274 Common Baby First Words

```
Q L U G A E A Z S F P S D F I
O H U G K R A E S L B T T T O
A A A R O Q E I S T P R P L F
P F C A P Y T E Z G U R W B U
L T R T C B E L T S B A H P
M G G X W A M V T L Q F L C R
V O A Y T K C U D C I R A A Z
E N R H R L T Q E Q I R Z E B
T E I E C I U J D V U V I D O
U Y M L Q M W R D J Z I N E Q
P E H L L D O C A S B P D B X
E S H O E A M M M B T E A E P
T T A L T S B G U T A C D E O
U A T D F W O O R R L B D E B
C V I U P D A N S Y T S Y K I
```

BABY	DUCK	MILK
BALL	EYE	MOM
BATH	GONE	MORE
CAT	HELLO	NOSE
DADDY	HOT	SHOE
DOG	JUICE	YES

275 Dinosaurs

```
A R A Q X Y N O D R A A Y X A
C A R D I O D O N A J L E Q N
B L I B A F F C I O N O D O N
S T E G O S A U R I L C G E X
R O H T N R A A A A A O V L G
A O U A L O U U M T B D X A U
I V T N R T D B R I R O D E V
T J E P A P I O T U O N C L V
O O K E A A Y I N T S S G D T
L B R R A R T M C A A E G R T
E A E N V A O O I U U R T V I
M R G U N G P E W M R G M I T
A I V O S E N V E L U A I M U
C A F T I M I M U S S S R R U
K T R T P X R O D D G T T E U
```

AARDONYX   CIONODON   IGUANODON

ABROSAURUS   EOLAMBIA   JOBARIA

ADASAURUS   EORAPTOR   LEVNESOVIA

ALOCODON   ERKETU   MEGARAPTOR

CAMELOTIA   GOBITITAN   STEGOSAUR

CARDIODON   HARPYMIMUS   TIMIMUS

276 Rest

```
F S N Y S W O R D N I W N U R
B E A U T A H I C E N F L E P
R M Z H P N A B O P B F P U X
E D O A T W V Y N E T O W S J
S S O S A O E M V Y S E T N G
I L T Z K D A I A E Z M U O E
K U E E E W B O L T Q I P O G
T M F C I O R R E M S T H Z O
J B E A T L E I S U R E T E I
T E P U E S A E C G I K I U L
X R R E A B K Z E L E A E S E
P E E L S A L L A F A T C C R
T L R L Y U B T I X T S R J M
F A K O A L A A S P A K F K C
P L O S R X S P C P U G C T K
```

BE AT LEISURE	GO TO BED	SLOW DOWN
CONVALESCE	HAVE A BREAK	SLUMBER
DOZE	PAUSE	SNOOZE
DROWSY	RELAX	TAKE IT EASY
EASE UP	REPOSE	TAKE TIME OFF
FALL ASLEEP	SIESTA	UNWIND

277 The Family

```
T A S T I R R A A A T N D G H
I R E H T O R B I F I E T E A
B S V H U Q J S A T S I E P M
C N I N L A W M C C P P M M X
U P T S I Y I A E A O V O X Y
J A A E T L Q N R A U N T Z G
R R L S Y E D N A B S U H P Z
P T E T Y A R U I D E B E U A
C N R A N C E S T O R R R U S
R E H T A F D N A R G Q R J A
E R S L L T N W I I B W K M U
Q R F K C L I A D S T I N A R
A T A F H F E L C N U D N G T
C L Y E E L C F U H F O T X E
S V F Z E J E P U I U R C A U
```

ANCESTOR

AUNT

BROTHER

CLAN

COUSIN

DESCENDANTS

FAMILY TREE

GRANDFATHER

HUSBAND

IN-LAW

MOTHER

NIECE

PARTNER

RELATIVE

SISTER

SPOUSE

UNCLE

WIFE

278 Living Fossils

```
R T S O Z E N N A C I L E P F
C O O T T B L H A H M U S T E
A E V L H I W I R U R X H J C
P A S O L E N O D O N E R H C
Y L M S W I T S V O P O E P K
B I T A T B K C A T C V T C T
A A O P M I M O R T R O D P G
R T A K P I A E K O C P R S F
A E E P A W R L T O M Z A C J
T S E L E P H A N T S H R E W
A R T Y X G I C B E A U T T S
U O S R B N R A W B O W F I N
T H R E D P A N D A I E H P V
T N O E G R U T S L L T O T V
K H S I F G A H O A T Z I N T
```

AARDVARK	CROCODILE	OKAPI
AMAMI RABBIT	ELEPHANT SHREW	PELICAN
BOWFIN	HAGFISH	RED PANDA
CAPYBARA	HOATZIN	SOLENODON
CHEVROTAIN	HORSETAIL	STURGEON
COELACANTH	MUDSKIPPER	TUATARA

279 Scary

```
I F W H O J R P R G H X T B Y
A R I A U S U O D N E R R O H
A N A R R P E T R I F Y I N G
A E D R G I F V A M W P G R N
F M C O R N X P V R S E T O I
F O M W C E I T P A K E E V Y
Y S E I L C T B G L O R R A F
K R N N O H D S R A E C R R I
O A A G N I T E I U Q S I D R
O E C P Z L R O M N T S F N R
P F I S B L S S I E I S Y H O
S G N I S I R P R U S S I I H
X R G W G N I K C O H S N D S
G V F R I G H T E N I N G E S
U H S W B T T L E W Z A P I T
```

ALARMING	GRIM	SHOCKING
CREEPY	HARROWING	SINISTER
DISQUIETING	HORRENDOUS	SPINE-CHILLING
DISTURBING	HORRIFYING	SPOOKY
FEARSOME	MENACING	SURPRISING
FRIGHTENING	PETRIFYING	TERRIFYING

280 "Cat" Words

```
C I U T U A I N W A R B W E N
C A T H O L I C P A B J A S R
C A T A P U L T C P C M P Q O
A V T C S F C C A A K R O H
T P M A H P P A A T T V U D V
N A T T T P T X T T C A M I I
I D R A S O H J A F H S L N D
P M G C P Y N R R O I O E A U
A R N L A T L I A H N S D Q N
U A U Y I T C A C S G B H E A
Z A A S R A E E T T E Y B X W
J B D M T R T G C A T W A L K
U U A T S A T T O L C L I S N
J U L L C L X S A R E R P P Z
Z E A A N O I T A C Y W S U O
```

CATACLYSM	CATCHING	CATHOLIC
CATALAN	CATCHPHRASE	CATION
CATALYST	CATECHISM	CATNIP
CATAPULT	CATEGORY	CATTAIL
CATARACT	CATFISH	CATTLE
CATATONIC	CATHODE	CATWALK

281 Stationery

```
R E S A R E L U R I A E U L G
P E F F O U N T A I N P E N S
P P V O T N B E S A E T S S P
H S R E U W C B O G T H K Y T
S R E H P A L A E E A W E F R
U T P L X O H B R R E D L O F
O P A A B O L O P D B R A S M
R Y P P P D P E F Y B A T S E
S K N I L E N O V A D O N T G
A M O O N E R R G N S B A D A
T V B E R M R C F U E P D R L
G D R E T H G I L H G I H O D
M M A P J P E N C I L L A I L
M K C A T B M U H T P C T C Z
W Z K T I S N K H F M G P R Z
```

CARBON PAPER

CARDBOARD

CLIPBOARD

ENVELOPE

ERASER

FOLDER

FOUNTAIN PEN

GLUE

HIGHLIGHTER

INK

LETTER OPENER

PAPER CLIP

PENCIL

RUBBER BAND

RULER

SHARPENER

STAPLER

THUMBTACK

286

282 Personality

```
P  V  F  R  I  E  N  D  L  Y  E  P  E  P  Y
N  C  B  G  E  N  E  R  G  E  T  I  C  B  O
G  T  Q  K  U  F  T  Q  E  L  T  N  E  G  O
S  N  N  U  E  G  L  T  O  U  L  U  V  Q  E
A  T  I  A  Q  U  I  E  T  C  R  D  I  I  P
D  N  C  M  G  U  R  S  C  I  E  Q  T  J  J
E  E  X  T  R  O  V  E  R  T  E  D  I  I  S
C  D  C  M  Y  A  R  R  E  A  I  I  S  H  B
T  I  L  I  H  A  H  R  W  M  C  V  N  A  Q
W  F  T  O  S  T  M  C  A  S  I  J  E  B  A
S  N  N  E  C  I  U  G  M  I  S  C  S  L  E
M  O  O  G  N  I  V  I  G  R  O  F  B  I  I
O  C  Z  E  Y  G  U  E  T  A  A  R  U  A  V
T  E  D  E  M  G  A  N  E  H  E  W  O  P  F
J  M  F  O  F  K  V  M  Z  C  C  S  R  T  Y
```

ARROGANT	DETERMINED	MAGNETIC
CHARISMATIC	ENERGETIC	QUIET
CHARMING	EXTROVERTED	REFLECTIVE
COLD	FORGIVING	SENSITIVE
CONFIDENT	FRIENDLY	SHY
DECISIVE	GENTLE	WARM

283 Formula One Racing

```
X T E A M S W A R E P S A C E
S L D K C S S T E M L E H B R
O L R Q A G A L F K C A L B A
T P I T S T O P L R N A Z D C
Z S V R L E R A D G I Y M I Y
I H I G H S P E E D T O N Q T
P I N M E S P O V E T E U S E
U N G M O Y V S S O R A W W F
O K P I L E T A R E L E C C A
Y V A D R E N A L I N E P T S
T U I L O I R A F L K I I O D
P I Q X R A O Y C J A M G C X
D E S G O Q Z B E I Q T X N E
S A Z A S P E F F I H E S S E
Q C M Z S D Y S C I T C A T G
```

ACCELERATE	ENGINES	PIT STOP
ADRENALINE	HELMETS	QUALIFY
BLACK FLAG	HIGH-SPEED	SAFETY CAR
CHANGEOVER	LAPS	STALL
CHICANE	MOTOR	TACTICS
DRIVING	OVERTAKE	TEAMS

284 Blue Cheeses

```
M Z S E G P A R A A G A S T C
C E T T A L E C L O D T Z H A
F H X O A L M K E Z I O E L M
T I E G T M O D N L S R S T B
U R G R D O X Z T I N L R S O
N U E I I A R O N I T A L O Z
A A D N E H N E V O O N O L O
I E U Z W T S I G R G A P A L
J T E O C Q T E S O D R K M A
H T L L E A G H H N K O A Q
L T B A U R A V A C B B R G T
P R B L E U C H A T E L L S C
I F N P S C P M D M R U U U Y
E Y T R O F E U Q O R E L E E
N I T C I D E N E B U E L B V
```

AURA	CHERNI VIT	LANARK BLUE
BLEU BENEDICTIN	DANISH BLUE	OREGON BLUE
BLEU DE GEX	DOLCELATTE	ROKPOL
BLEUCHATEL	GAMALOST	ROQUEFORT
BLUE CHESHIRE	GORGONZOLA	SAGA
CAMBOZOLA	GRINZOLA	STILTON

285 Entrepreneurs

```
N D E B Y R G B J A T S F S O
Y M Y W I E L L E K A P L A N
H E P N A L S T E V E J O B S
O M R E O L L R T L S H I I O
W M I F L S T G O U I S H T Z
A R I C N O I D A D L O S U E
R A R L H I N L I T K I A N B
D Y T L S A W M L S E C Y S F
H K N U N S E H U E N S A I F
U R S I U E O L A S Y E K J E
G O U E U T O L D R K R Y E J
H C O D R U M T R E P U R T Z
E H E G A P Y R R A L O A A P
S E R G E Y B R I N C L M R L
A U C T E D T U R N E R A O T
```

BILL GATES	JEFF BEZOS	RAY KROC
CARLOS SLIM	LARRY ELLISON	RUPERT MURDOCH
ELLE KAPLAN	LARRY PAGE	SERGEY BRIN
ELON MUSK	MARY KAY ASH	STEVE JOBS
HOWARD HUGHES	MICHAEL DELL	TED TURNER
JACK DORSEY	OPRAH WINFREY	WALT DISNEY

286 On the Computer

```
W T O L I Y H Q B Y F L O T I
S L F Q N D D A T A B A S E G
S R P T T E N R E T N I B T J
R G X H A J C O A P R Z N S Q
J L N R S I A S C O D E O U X
H T L I P A D S T R B F S R L
A O T A M F R E V O T Y P I A
R O A G P A M C M W R S E V T
T Y M I A T E O A L O A S K D
D I R E C T O R Y P A I G M A
F I O D C S E P T B X I I E J
U Q F H C Y T D R S V W C M U
L O R E S W O R B B E W O O L
L S A A M I S O I S E A N R S
C F F E U Q A W B X P J P Y M
```

CODE

CRASH

DATABASE

DIRECTORY

FORMAT

ICON

INTERNET

KEYBOARD

LAPTOP

MEMORY

SOCIAL MEDIA

SOFTWARE

STORAGE

STREAMING

VIRUS

WEB BROWSER

WORD PROCESSOR

WORM

287 Jobs

```
R M H E F A R S L F G A J S L
O E U P T F D E T J C R W T T
T Q P S R E Y R A T E R C E S
A R R O I H Q E M L O E K O U
M Y E T R C N H S D A L L C R
I J H T L T I P R E R I I G V
N W C T I I E A P S C E Z P E
A O A L B R N R N I H D S R Y
O U E M R U W G T G I W U A O
O O T G A C C O U N T A N T R
O R R W R J R T U E E I R H X
L G M A I U B O T R C T R T A
P S Y J A D S H Q O T E L O M
L L L B N G T P A V U R Z E S
H N O J H E A L A V B O S A I
```

ACCOUNTANT   LIBRARIAN   SOLICITOR

ANIMATOR   MUSICIAN   SURGEON

ARCHITECT   PHOTOGRAPHER   SURVEYOR

CHEF   PILOT   TEACHER

DESIGNER   REPORTER   WAITER

JUDGE   SECRETARY   WRITER

288 Date and Time

```
R T P Y R W E X A S A S Q J V
F E E T U N I M O E J E N R P
R A D T Q R S N S P M B C T D
R H T A U G U S T T S A P B K
H S L N C D N O C E S U M T A
T C P L E E M A A M R E O U A
P X O R R M D S W B P U N T S
B C K P I P O U R E P S T R G
K E V O E N A M E R A L H U H
T T J F F G G M Z R F V T O F
T T Q P N J T E B T T O S H U
C I O E P J W R K S K J W A N
L E E F X P P Q O M K D U C L
R G R N R J O P L F R S N G I
E L W P Y Y N R C O S F T B S
```

AUGUST   HOUR   SECOND

CLOCK   MINUTE   SEPTEMBER

DECADE   MOMENT   SPRING

EPOCH   MONTH   SUMMER

ERA   PAST   WINTER

FUTURE   SEASON   YEAR

289 Extreme Sports

```
V E S S H A N G G L I D I N G
B X K G N I L I A S A R A P N
B O I F G N I B M I L C E C I
L U I G N I V I D Y K S X U R
G G N I V I D A B U C S T U O
N Y G G N I P M U J E S A B T
I C A V E D I V I N G E S U O
D G N I R E E N I A T N U O M
I I E U O V J A A O L O U R A
L R W I N D S U R F I N G B R
G G N I L I B O M W O N S I A
A E I S K I J U M P I N G A P
R K N E E B O A R D I N G G X
A S N O W B O A R D I N G T I
P W A K E B O A R D I N G L R
```

BASE JUMPING	MOUNTAINEERING	SKIING
BUNGEE JUMPING	PARAGLIDING	SKYDIVING
CAVE DIVING	PARAMOTORING	SNOWBOARDING
HANG GLIDING	PARASAILING	SNOWMOBILING
ICE CLIMBING	SCUBA DIVING	WAKEBOARDING
KNEEBOARDING	SKI JUMPING	WINDSURFING

290 Constellations

```
S U N O R O J A M A S R U H E
S E Y Z L B S S P S U N G Y C
O V C Z Z T P S H P H J E H H
C J A S S E U T J E C Q P C C
F A T N I S U I R A U Q A L Y
I A D E A P A C M U I K V B R
U A R P C C U J L E H O O I Q
C F A R A L U E U X P P G N T
T N C E E I U T P H O E N I X
X P O S L S L P F X A O I M S
A G I R U A A T R X R W O E G
N R K S M A E K N C T U I G D
R H O H X A P X S A J F K T P
O E U S L W E A V E E U F U U
F L D A R A M S A P E O J W I
```

ANTLIA	EQUULEUS	PAVO
AQUARIUS	FORNAX	PHOENIX
AURIGA	GEMINI	PISCES
CAELUM	HERCULES	SERPENS
CYGNUS	NORMA	TUCANA
DRACO	OPHIUCHUS	URSA MAJOR

291 Sculptors

```
N I I A R O X S N A O S Q D B
V A R C A L A M Z H B T I U E
R O M W X E R O O M I A R G P
M C D F I G T R L R D S U S G
Y I E W U N V L E C B L H P M
G A R U K A E U F O A B C D P
I R D O Y L K A E N L Z A R L
O B L R T E S S B R B A N L F
K T E W O H B S V A U I O V E
U O S S A C I P R D G F V C X
C T Y E N I T L E S A H A E I
O R N E S M A R B A T R Z V S
X L L Y S U R I C U T R I P L
S W J B Y P V S S E I S W L S
N W S R U J K Q R L K L R S L
```

ABDI	CORDAY	KAUFMAN
ABRAMSEN	ELDRED	LEFEBVRE
BUGATTI	GULAN	MICHELANGELO
CANOVA	HASELTINE	MIRO
CARTER	HORVAY	MOORE
CONRADS	IRWIN	PICASSO

292 Small Things

```
T E H S S H N G C E P N T Y M
P S L E X G T A J R S E F H R
T F O B N R I N G S R E E A H
B F O A M A U R A C L D P X I
Q Q T Q B I K L A O M L C V W
B O V R P N H I B A L E U I S
P P A Q J O P T R E U L S T W
I O O Y L F E S U O H P N T N
X W E R C S N O W F L A K E H
Z K I P D A E B N I B T K F P
B U T T O N R V N G X S E N R
P H L O U D I T M I T U V O T
I J U O R E E A U R O D Y C P
X O I T B R I O R N U C Z U T
I P A H P R O I N E S U Z P K
```

BEAD	GRAIN OF SAND	SCREW
BUTTON	HOUSEFLY	SNOWFLAKE
COIN	NEEDLE	SPLINTER
CONFETTI	NUT	STAPLE
DUST	RAINDROP	THIMBLE
GNAT	RING	TOOTH

297

293 Westerns

```
A O U S P Y L L E K D E N B R
G O Z T C R I O B R A V O O T
A D L H R A T S E N O L O A Z
I A A D I U O T Q F P T N I E
T R U N K L E A H P B U H X N
N E O P I T K G S E U C G A O
V V P T E I V E R N A R I I T
F L E F N O J C F I T L H Q S
E I N F A A D O R R T T A I B
W S R E H C R A E S E H T M M
R L A F S G M C R E L T O P O
I R N O I L H H U O V C A T T
W I G V E Z O Z C L D F S T L
M R E V I R D E R H R L B S E
E N H P O T O M I N O R E G T
```

EL DORADO	NED KELLY	STAGECOACH
EL MARIACHI	OPEN RANGE	THE ALAMO
EL TOPO	RED RIVER	THE SEARCHERS
GERONIMO	RIO BRAVO	TOMBSTONE
HIGH NOON	SHANE	TRUE GRIT
LONE STAR	SILVERADO	UNFORGIVEN

294 Facebook

```
A U S P Y T D Z R T N G Q A N
O A T P J I R S S G O D Y H N
U S E A R C H L T E K I L R N
K B N W H A F K V Z B S O M C
W U I O R C U E R A V A U W I
O F L E I J N N F U R K T S A
U L E S E T R E N D I N G A E
I X M U D F A V O R I T E S G
S F I M N T I C W G T S F K D
L S T N E M E S I T R E V D A
U M M R I Z Z P E F A U J L B
A I G R R Q R U E L I F O R P
A M R P F B N O K Z P T M E O
Y M A R W T I R O E B R O K S
S T G U S B H G P T N I E N T
```

ADVERTISEMENTS	FRIEND	PROFILE
APP	GROUPS	SEARCH
BADGE	LIKE	SHARE
CHAT	NOTIFICATIONS	TAG
EVENT	POKE	TIMELINE
FAVORITES	POST	TRENDING

295 Around Central Park

```
L U P S R R T O T S T W S U A
N W S H T N O R T H W O O D S
T S A N B S R F P O N D S T J
V F U L B R I D A L P A T H L
U J I M K N I R E C I E L E L
C T E Q M I E D U H U M S M I
M W U P P I N E G O S P Z A H
A R S R T Z T G R E T E K L R
G O A S T E N R T G S E A L A
S C E K A L L U O R T H F I D
B E L V E D E R E C A S T L E
Q M U T E N I P A P K C A U C
H Y L D N E W Y O R K L K E P
C P E N A T T A H N A M S S S
L I I N H P A C L A D I U P L
```

BELVEDERE CASTLE   LAKE   SHEEP MEADOW

BRIDAL PATH   MANHATTAN   SUMMIT ROCK

BRIDGES   NEW YORK   THE MALL

CEDAR HILL   NORTH WOODS   TOURISTS

EAST GREEN   PINETUM   TURTLE POND

ICE RINK   PONDS   WALKING TRACKS

296 Sharks

```
J R K P L U N K E T E R K I E
P R I C K L Y D F S S E T J R
V E T C L I I K A R E P L U G
Q S E M O P B G H E L E W E N
T Z F W S O Y R N V H E R O I
I A I P A C K G A E S L G V K
K Y N Z W K R I M M V S L N S
Y W E H S E A P E Y B E E U A
W B K I H T H U E C I L S A B
L F P U A Y S H R T U T E S T
E R U K R A H S N R E T N A L
O I T G K Q G K U R S I T F T
A L K R J R U E F R I L L E D
Z L T T N R O H Y A I O X L R
R R T V R A R O R T N S L V T
```

ANGEL	GULPER	POCKET
BASKING	HORN	PRICKLY
BRAMBLE	KITEFIN	PYGMY
BULLHEAD	LANTERNSHARK	ROUGHSHARK
COOKIECUTTER	LITTLE SLEEPER	SAWSHARK
FRILLED	PLUNKET	SEVENGILL

297 Words Beginning with "B"

```
P L Q W T K F T X U S D N E I
A T A O P T W A G M J Y O L Q
K I O X J E A T M N O G C G M
U E P I O E B E Y O N D A S K
T S L A I M O N I B T T B Z G
T F T A A O R B U F F A L O Y
M J B A S R D B B E C K O N U
S R A Q U T E B U K R B P C N
D S C F E H R V S M O G Z D D
A N K J A A L W Z B P N T Q W
R G F V V S I I S C G I I S Q
P S I E S N N L U W U D E P S
W O R L G R E G D A B D T S T
R Y E G L D K A A B E I K Z T
D L O B O N E L G G O B A N G
```

BACKFIRE	BEHAVIOR	BOLD
BACKSWING	BEYOND	BONE
BACON	BIDDING	BORDERLINE
BADGER	BINOMIAL	BRAVERY
BANG	BOBSLED	BUFFALO
BECKON	BOGGLE	BUMPIEST

298 Libraries

```
A T B Z A T U A O F W M A W R
U W F F R U S K I N X B V T H
A L E X A N D R I A O A A M A
N R N R A S E I N D T C T X T
T M V A O S C E L S U S I C G
N M M J T M T E B P F I C F X
E W I O N A I S O R B M A P X
F K N S H A I T A K I E N E S
I E C S N L O N L T J T W P T
Z O F E W T K E C A U T I Y A
D E R R N L O H W N B S D S T
P X E G I I E M E T I H E X H
C N G N U L E Y Z O L R N B Q
T I J O L R S B A P E S E S K
I I I C A R N E G I E X R A L
```

ALEXANDRIA	CARNEGIE	MITCHELL
AMBROSIAN	CELSUS	PEPYS
BALTIMORE	CONGRESS	RUSKIN
BEINECKE	FIRESTONE	VATICAN
BODLEIAN	FRANKLIN	WIDENER
BRITISH	JUBILEE	WREN

299 Minerals

```
N M A I T P S N D S Q X U K A
L E U C I T E T I E D A J E Z
B T P N U Z A B O T S R N P W
H I M H E E T I O Y K O T I S
P H L A R T O R S R K P R W J
I P U X Y I I R A H A I S H Z
H A L O T S T N A U U X A Q P
J R R N H A L E O R Q N P Q V
I G P I R S E A U D G G P A E
E R G T I O O T P L O C H R T
W Y G E T R I Z E O M H I A I
T R K G E L I S C G V O R A M
E V J U E T I L A I R D I O A
W I R N E T I R O U L F N Q D
P G A H E T I R D N A X E L A
```

ADAMITE	GRAPHITE	QUARTZ
ALEXANDRITE	HAXONITE	RHODONITE
ANGLESITE	IDRIALITE	ROSASITE
BORAX	JADEITE	RUTILE
ERYTHRITE	LEUCITE	SAPPHIRINE
FLUORITE	NEPHRITE	TOKYOITE

300 Female Stars of Tennis

```
L H K F I S U Z R H N A H C W
T A S F M A K A R O V A N T O
K L T I E G A V R I L O V A R
U E A N I L O T I V S A F Z T
A P Y G O C S T L T B E A U P
I O R S A K S N A W D A R R G
D I F P B T L P G V P Y E U J
H K V A N D E W E G H E B G C
W C P A K N E R A Z A K R U K
U A V O K L U B I C V N E M E
V I I O A V O K S I L P K B K
V N L C R U S O T S F B I A Z
O Z X O R M D O A T O L U W H
G O L F J A V O R R C C E G V
L W F P E A G B I H M C S O H
```

AZARENKA	KEYS	PLISKOVA
CIBULKOVA	KONTA	RADWANSKA
GARCIA	KVITOVA	STOSUR
GAVRILOVA	MAKAROVA	SVITOLINA
HALEP	MUGURUZA	VANDEWEGHE
KERBER	OSTAPENKO	WOZNIACKI

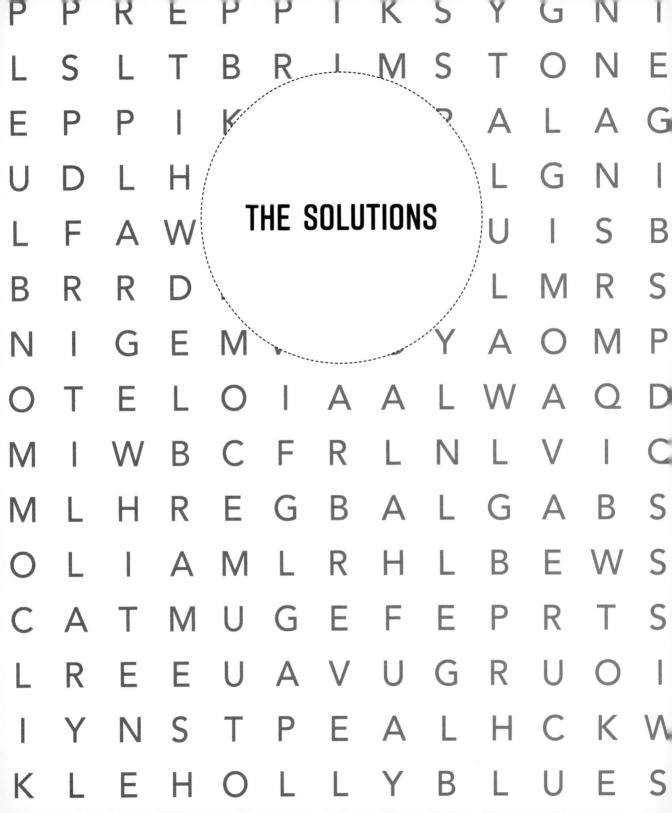

THE SOLUTIONS

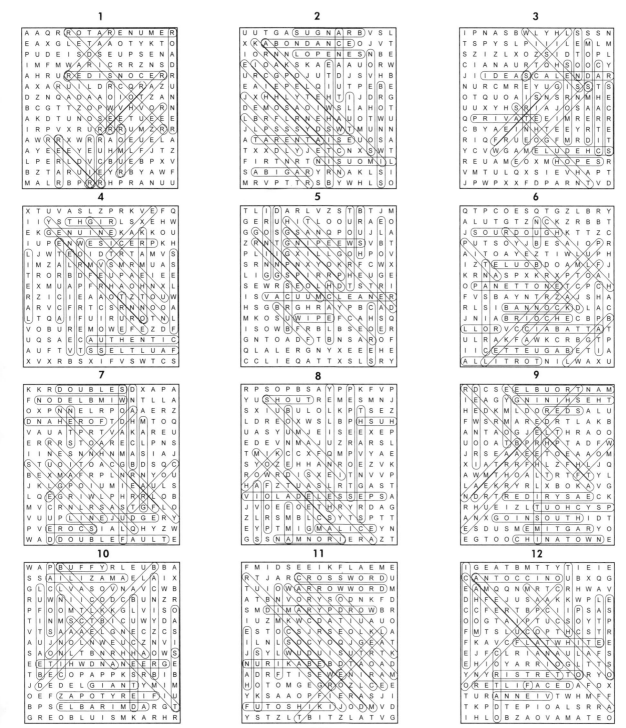

307

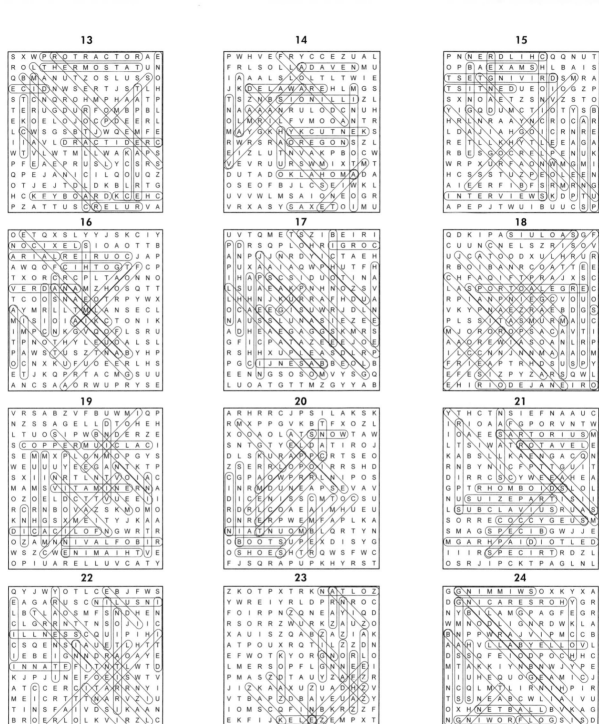

308

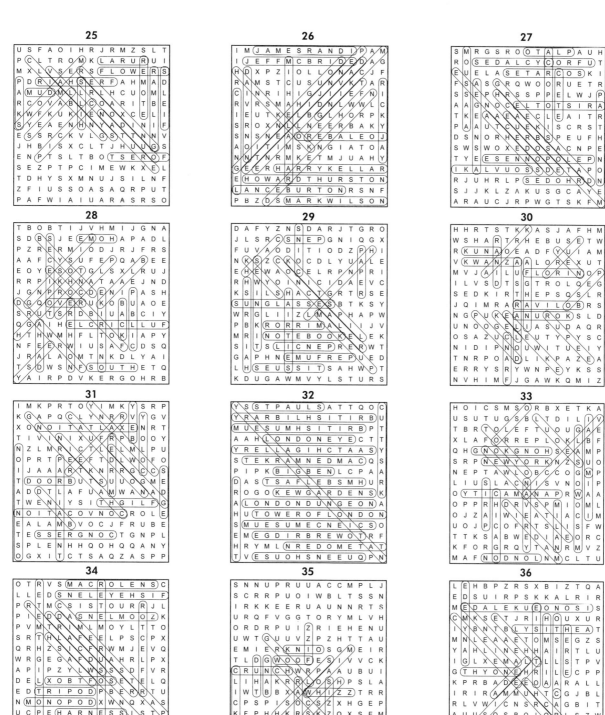

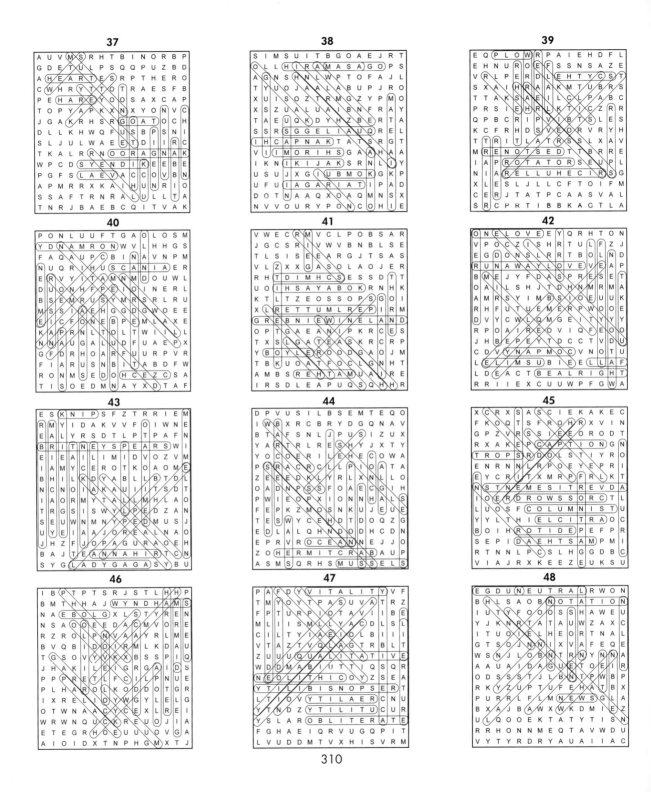

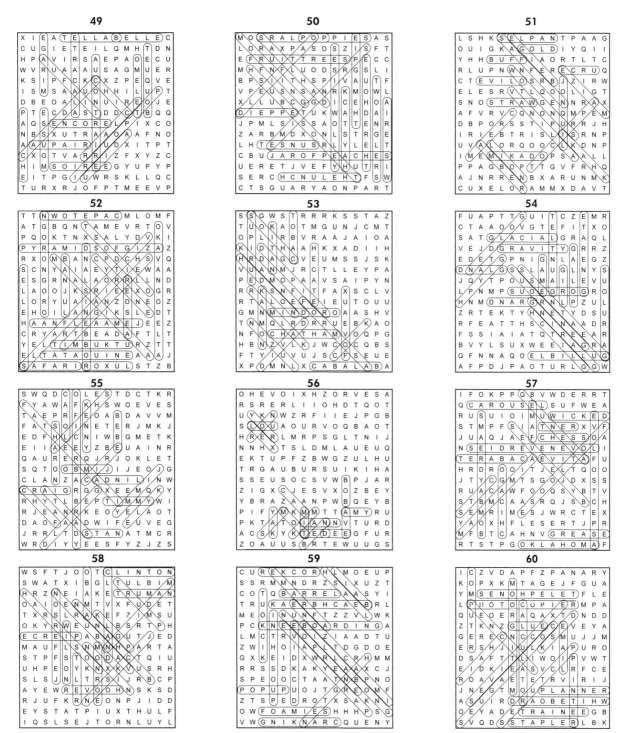

311

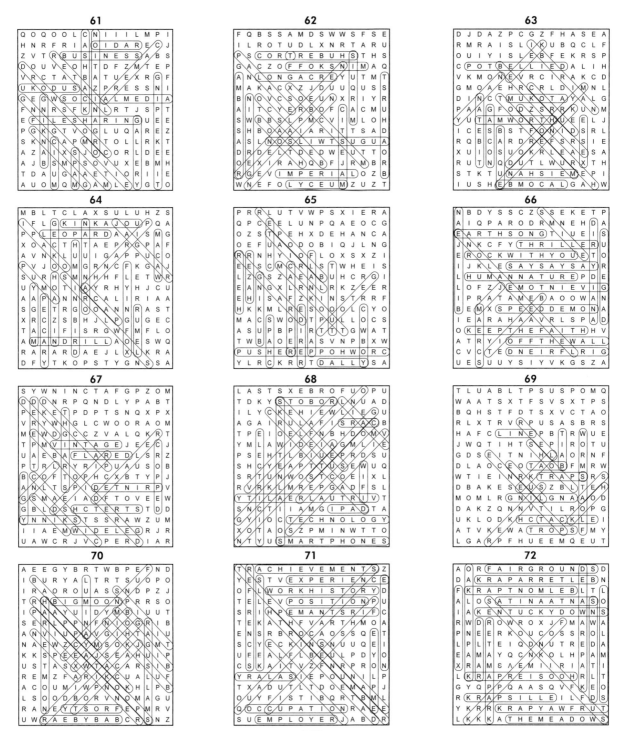

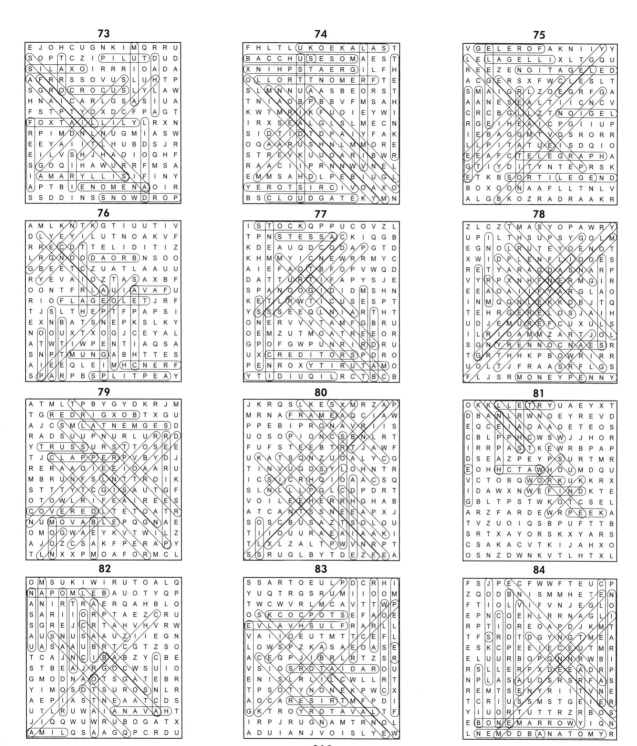

313

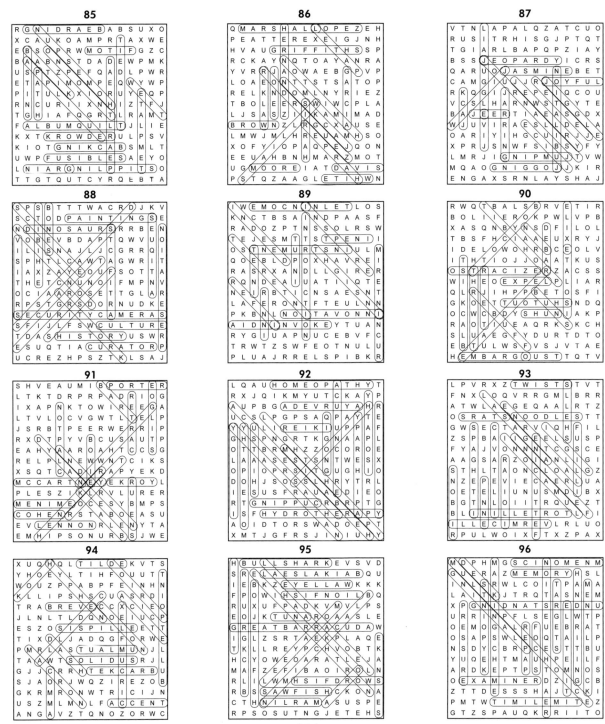

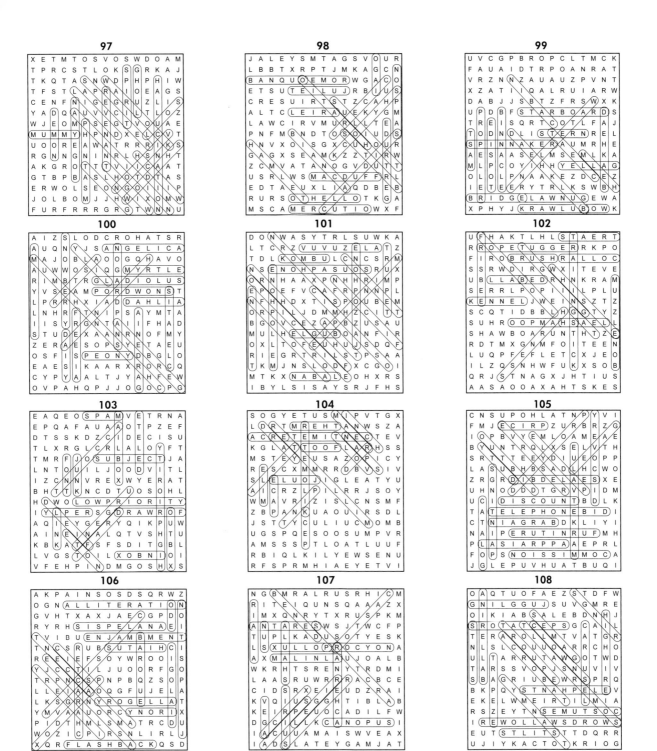

315

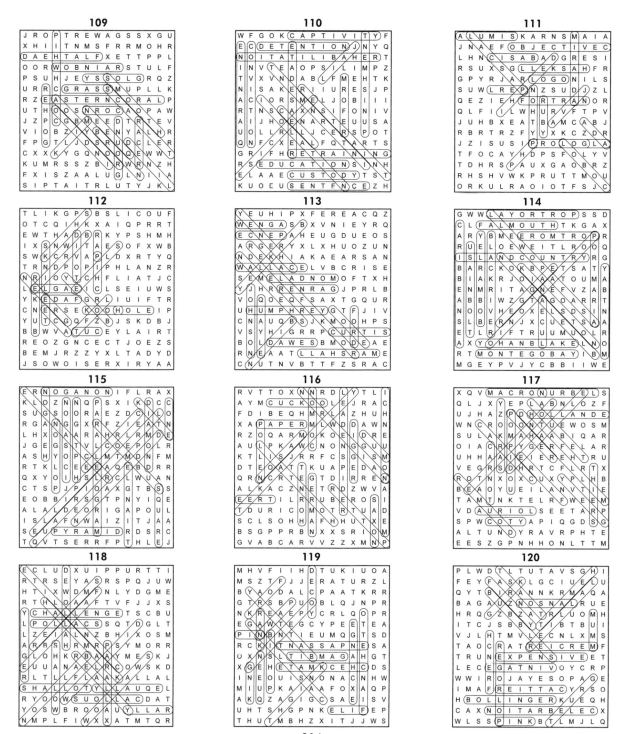

316

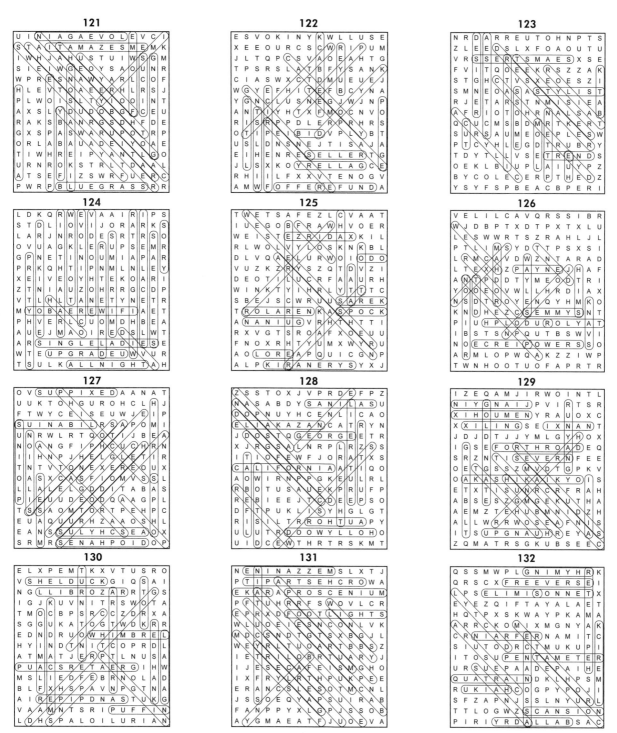

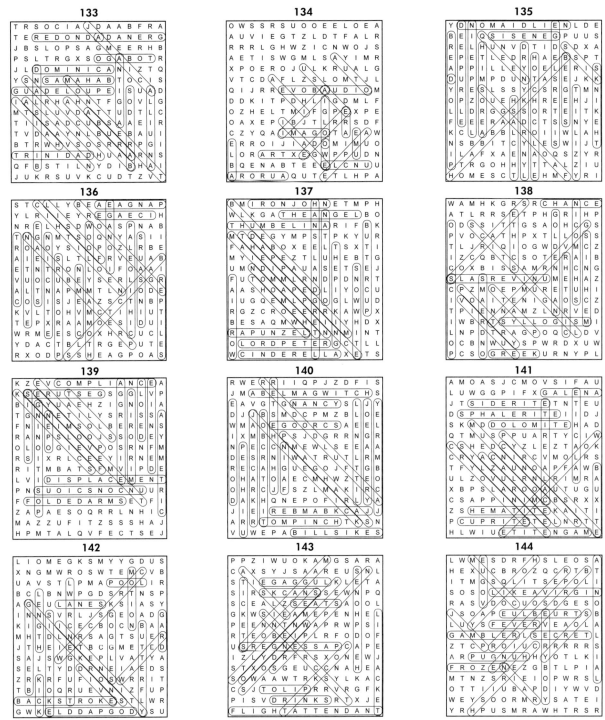

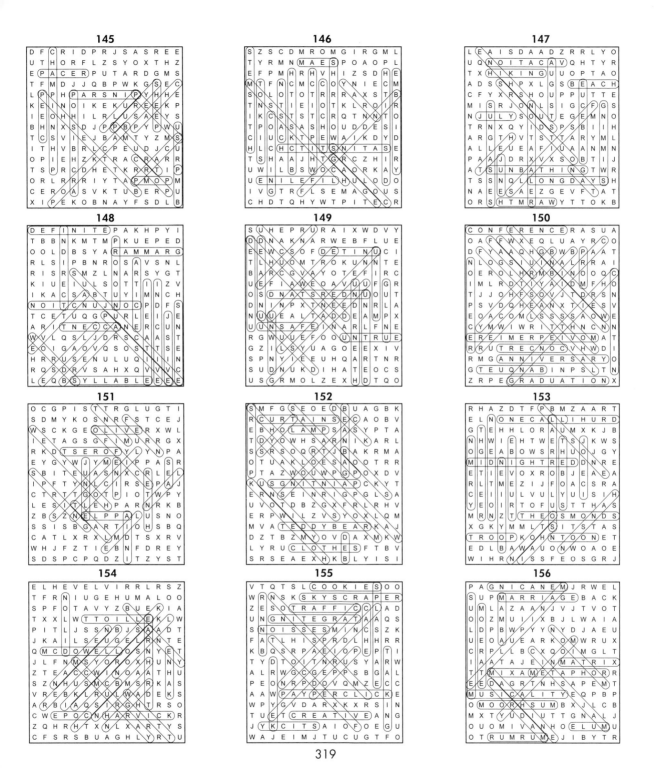

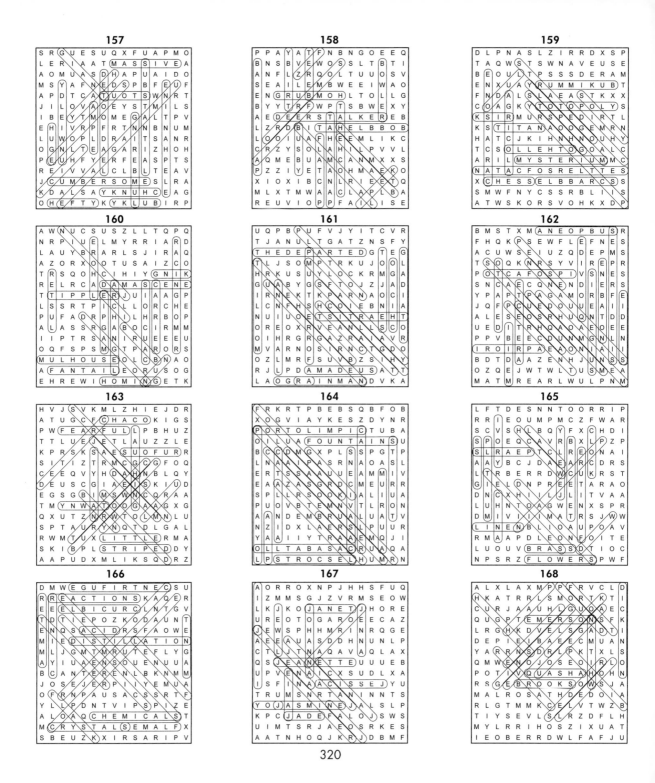

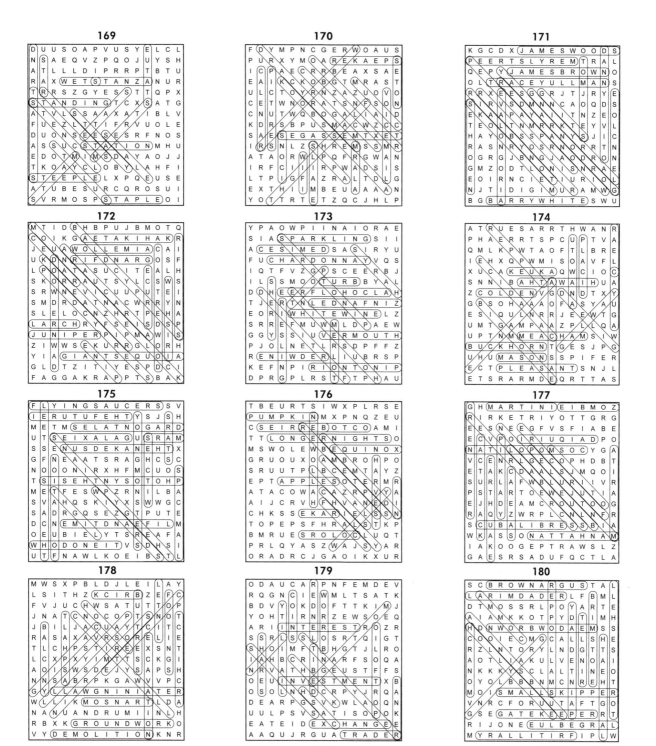

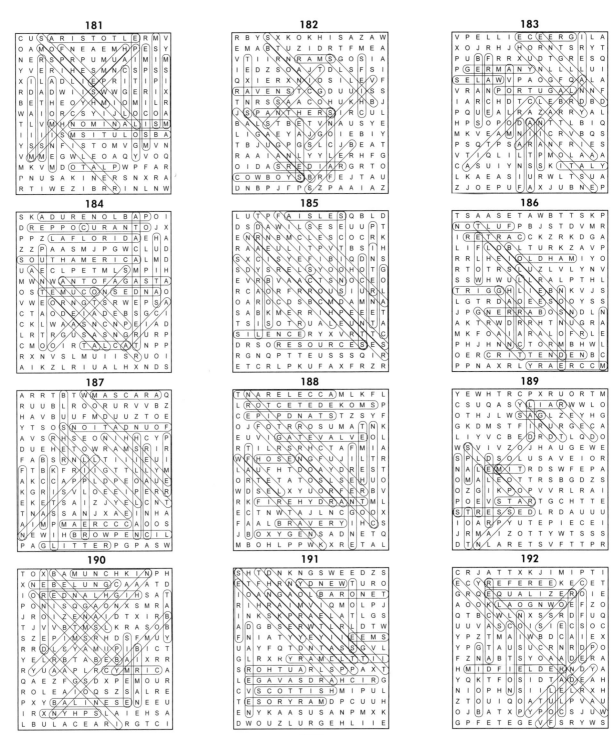

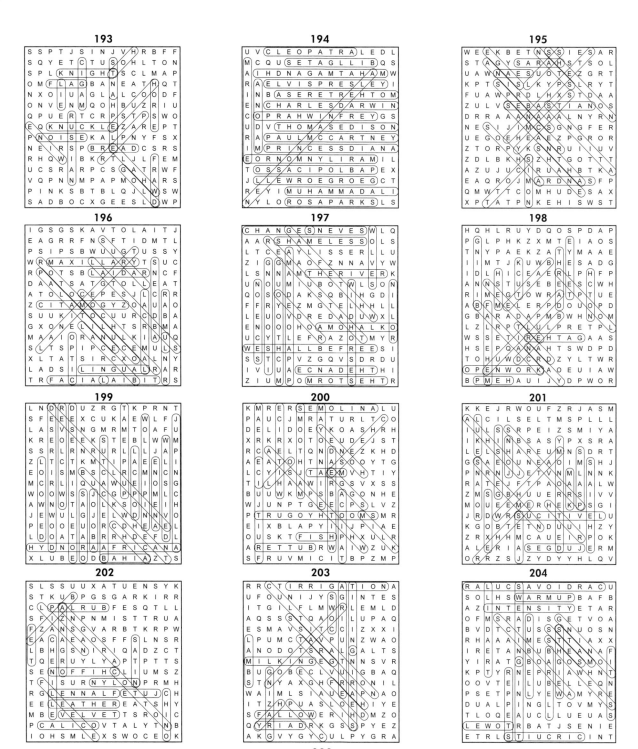

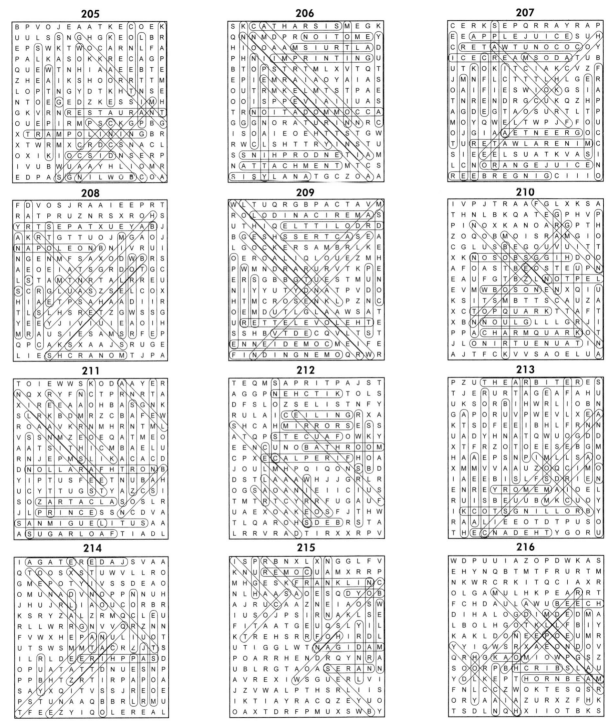

205

206

207

208

209

210

211

212

213

214

215

216

324

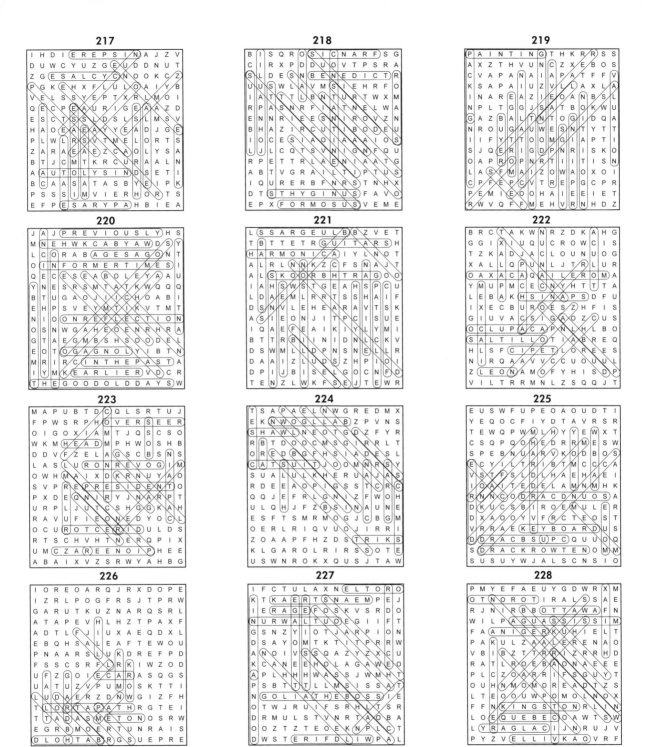

325

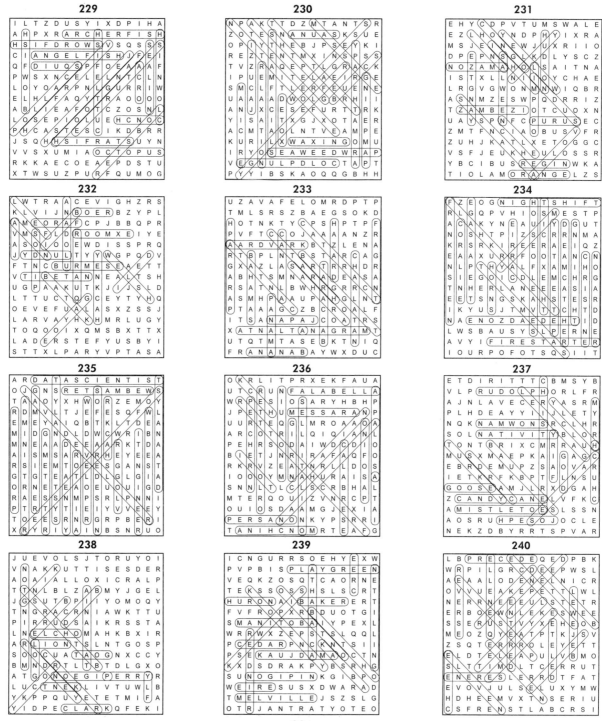

241

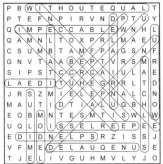

242

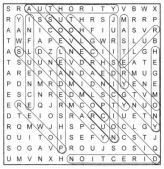

243

244

245

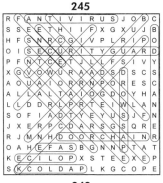

246

247

248

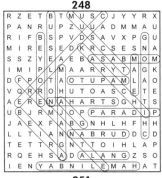

249

250

251

252

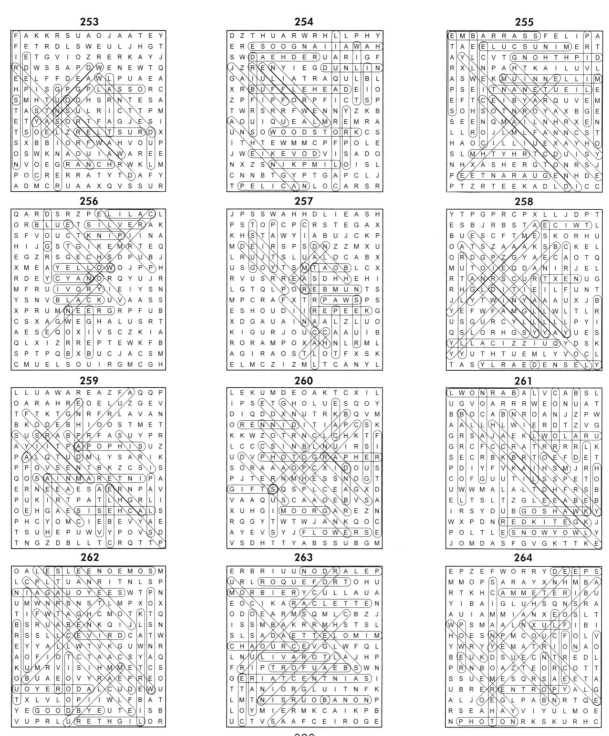

265

```
E F A E A U T T A M P A A I S
A L L D E N S E M B L E R R L
K A L A T O W T E O R J I E U
S R L C C S R K L R B T O N U
H E T T A I S M C E P E C C N
J T E R R R S L H H T M O O N
S C M E T U U T E E U O R I I
R A U S N Q P Z M S S D E E A
A R T S E T R T Y T A H G S T
C A S T I N G D I R E C T O R
T H O R F V U C O V A B U U O
O C C P N M S F R P E N C H C
R S E O U V A S T I I U E C K
S T E D I S A F C T S A J C Y
E B A C K L I G H T P I R C S
```

266

```
R T I R E W O T A L L E P A C
E E R E W O T S M A I L L I W
N U T T E Q J J S A T S C M L
E B R E E M P I R E S T A T E
C A E C C A L A W C S M S T
N W P H I A Q U A W A S A N
I K O U R A D I F P A C T T
L T O Y P S S B A Y M E P C
K O Y R S T N E T M T O R D N
N W E K I E G L P S R T O U C
A R K I E X L B S O W L S C A
R R H T R O W L O O W E O J L
F C W I L L I S T O W E R C V
R O X C P A R K T O W E R C H
```

267

```
B X W I V S R H H Y H Y L L L
F O I B T U O S R R B A N R E
R L H C R P C L I R W U T T L
A M O S P E U H E Q A E H A V
S O U W O R U A E C M H E F I
I D V F R G K A X E E O X D M
E E E F R I E N D S R U F G S
R R Y N R A E E C I S I J I
Y N L G U L K C U H C E L G C
X F B W E N T O U R A G E H N
G A M E O F T H R O N E S X N
D M R P T R R S T H I R T C Y
N I R U K T P P P S D P M I S
D L E F N I E S S B O N E S L
P Y J B O H M E U T L L W P N
```

268

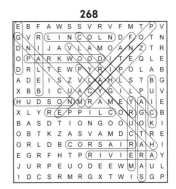

```
E B F A W S S V R V F M T P V
G V R L I N C O L N D F O T N
D N I J A V L A M O A N Z Y T
O P A R K W O O D I T E Q L E
D R L T E W P Y R I P O L A B
X B B I C U A C Y G I L P U V
H U D S O N X R A M E Y A I E
X L Y R E P P I L C O R G C B
B A S D T I O N G O O U O K I
O B T K Z A S V A M D C T R E
O R L D B C O R S A I R A H Y
E G R F H T P R I V I E R A Y
J U R P E U O D E E W M A U L
I D C S R M R G X T W I S G P
```

269

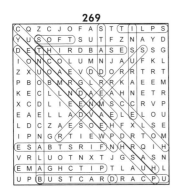

```
C Q Z C J O F A S T I L P S
Y U S O F T S U T F Z N A Y D
D E T H I R D B A S E S S S G
I O N C O L U M N J A U F K L
Z X U O A E V D D O R R T R T
P B O B M R G L R R K A E E M
K E C L L N D E A H N E T R
X C D L I E E N M S C R V P
E A E L L A D V A E L E L O U
L D C Z A E S O E H F X L S E
I P N G R T I E W P D R T O M
E S A B T S R I F N H R Q I H
V R L U O T N X T J G S A S N
E M A G H C T I P T L A U H L
U P B U S T C A R D R A C P U
```

270

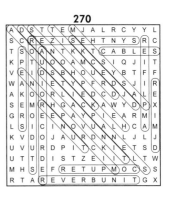

```
A D S T T E M J A L R C Y Y L
S C R E Z I S E H T N Y S R C
T S O A N T K K T C A B L E S
K P T U O O A M C S I Q J I T
V E I D S B H O U E Y B T F F
W A N I E T Y P F R D S J I R
A K O O R L I E D C D J A L E
S E M R H G A C K A W Y D P X
G R O E E P A Y P I E A R M I
L S I C I N O V U A L H C A M
K V D O J A U R D N N L J L J
U V T D I S T Z E I T L T W D
U T T D P I T C K I E T S D
M H S E F R E T U P M O C S S
R T A R E V E R B U N I T G X
```

271

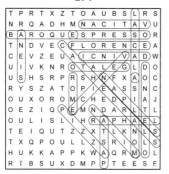

272

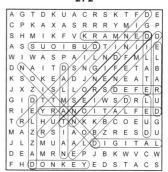

273

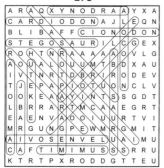

274

275

276

277

278

279

280

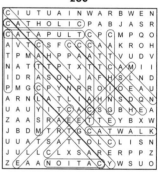

281

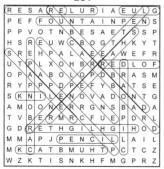

282

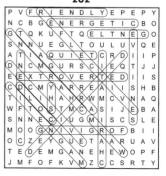

283

```
X T E A M S W A R E P S A C E
S L D K C S S T E M L E H B R
O L R Q A G A L F K C A L B A
T P I T S T O P L R N A Z D C
Z S V R L E R A D G I Y M I Y
I H I G H S P E E D T O N Q T
P I N M E S P O V E T E U S E
U N G M O Y V S S O R A W W F
O K P I L E T A R E L E C C A
Y V A D R E N A L I N E P T S
T U I L O I R A F L K I I O D
P I Q X R A O Y C J A M G C X
D E S G O Q Z B E I Q T X N E
S A Z A S P E F F I H E S S E
Q C M Z S U Y S C I T C A T G
```

284

```
M Z S E G P A R A A G A S T C
C E T T A L E C L O D T Z H A
F H X O A L M K E Z I O E L M
T I E G T M O D N L S R S T B
U R G R D O X Z T I N L R S O
N U E I I A R O N I T A L O L
I E U Z W T S I G R G A P A L
J T E O C Q T E S O D R K M A
H T L L L E A G H N K O A Q T
L T B A U R A V A C B R G T
P R B L E U C H A T E L L S C
I F N P S C P M D M R U U U Y
E Y T R O F E U Q O R E L E E
N I T C I D E N E B U E L B V
```

285

```
N D E B Y R G B J A T S F S O
Y M Y W I E L L E K A P L A N
H E P N A L S T E V E J O B S
O M R E O L L R T L S H I I O
W A M I F L S T G O U I S H T Z
A R I C N O I D A D L O S U E
R A R L H I N L I T K I A N B
Y T L S A W M L S E C Y S A F
H K N U N S E H U E N S A I F
U R S I U E O L A S Y E K J E
G O U E U T O L D R K R Y E J
H C O D R U M T R E P U R T Z
E H E G A P Y R R A L O A U P
S E R G E Y B R I N C L M R L
A U C T E D T U R N E R A O T
```

286

```
W T O L I Y H Q B Y F L O T I
S L F Q N D D A T A B A S E G
S R P T T E N R E T N I B T J
R G X H A J C O A P R Z N S Q
J L N R S I A S C O D E O U X
H T L I P A D S T R B F S R L
A O T A M F R E V O T Y P I A
R O A G P A M C M W R S E V T
T Y M I A T E O A L O A S K D
D I R E C T O R Y P A I G M A
F I O D C S E P T B X I I E J
U Q F H C Y T D R S Y W C M U
L O R E S W O R B B E W O O L
L S A A M I S O I S E A N R S
C F F E U Q A W B X P J P Y M
```

287

```
R M H E F A R S L F G A J S L
O E U P T F D E T J C R W T T
T Q P S R E Y R A T E R C E S
A R R O H Q E M L O E K O U
M Y E T R C N H S D A L L C R
I J H T L T I P R E R I I G V
N W C T I I E A P S C E Z P E
A O A L B R N R N I H D S R Y
O U E M R U W G T G I W U A O
O O T G A C C O U N T A N T R
O R R W R J R T U E E I R H X
L G M A I U B O T R C T R T A
P S Y J A D S N G T P A V U R Z E S
L L L B N G T P A V U R Z E S
H N O J H E A L A V B O S A I
```

288

```
R T P Y R W E X A S A S Q J V
F E E T U N M O E J E N R P
R A D T Q R S N S P M B C T D
R H T A U G U S T S A P B K
H S L N C D N O C E S U M T A
T C P L E E M A A M R E O U A
P X O R R M D S W B P U N T S
B C K P I P O U R E P S T P G
K E V O E N A M E R A L H U H
T T J F F G G M Z R F V T O F
T T Q P N J T E B T T O S H U
C I O E P J W R K S K J W A N
L E E F X P P Q O M K D U C L
R G R N R J O P L F R S N G I
E L W P Y Y N R C O S F T B S
```

332

289

```
V E S S H A N G G L I D I N G
B X K G N I L I A S A R A P N
B O I F G N I B M I L C E C I
L U I G N I V I D Y K S X U R
G G N I V I D A B U C S T U O
N Y G G N I P M U J E S A B T
I C A V E D I V I N G E S U O
D G N I R E E N I A T N U O M
I I E U O V J A A O L O U R A
L R W I N D S U R F I N G B R
G G N I L I B O M W O N S I A
A E I S K I J U M P I N G A P
R K N E E B O A R D I N G G X
A S N O W B O A R D I N G T I
P W A K E B O A R D I N G L R
```

290

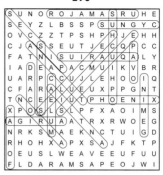

```
S U N O R O J A M A S R U H E
S E Y Z L B S S P S U N G Y C
O V C Z Z T P S H P H J E H H
C J A S S E U T J E C Q P C C
F A T N S U I R A U Q A L B R
I A D E A P A C M U K V B R
U A R P C C U J L E H O O I Q
C F A R A L U E U X P P G N T
T N C E E I U T P H O E N I X
X P O S L S L P F X A O I M S
A G I R U A A T R X R W O E G
N R K S M A E K N C T U I G D
R H O H X A P X S A J F K T P
O E U S L W E A V E E U F U U
F L D A R A M S A P E O J W I
```

291

```
N I I A R O X S N A O S Q D B
V A R C A L A M Z H B T I U E
R O M W X E R O O M I A R G P
M C D F I G T R L R D S U S G
Y I E W U N V L E C B L H P M
G A R U K A E U F O A B C D P
I R D O Y L K A E N L Z A R L
O B L R T E S S B R B A N L F
K T E W O H B S V A U I O V E
U O S S A C I P R D G F V C X
C T Y E N I T L E S A H A E I
O R N E S M A R B A T R Z V S
X L L Y S U R I C U T R I P L
S W J B Y P V S S E I S W L S
N W S R U J K Q R L K L R S L
```

292

```
T E H S S H N G C E P N T Y M
P S L E X G T A J R S E F H R
T F O B X N R I N G S R E E A H
B F O A M A U R A C L D P X I
Q Q T Q B I K L A O M L C V W
B O V R P N H I B A L E U I S
P P A Q J O P T R E U L S T W
I O O Y L F E S U O H P N T N
X W E R C S N O W F L A K E H
Z K I P D A E B N I B T K F P
B U T T O N R V N G X S E N R
P H L O U D I T M I T U V O T
I J U O R E E A U R O D Y C P
X O I T B R I O R N U C Z U T
I P A H P R O I N E S U Z P K
```

293

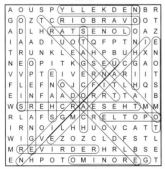

```
A O U S P Y L L E K D E N B R
G O Z T C R I O B R A V O O T
A D L H R A T S E N O L O A Z
I A A D I U O T Q F P T N I E
T R U N K L E A H P B U H X N
N E O P I T K G S E U C G A O
O V P T E I V E R N A R I I T
F L E F N O J C F I T L H Q S
E I N F A A D O R R T T A I B
W S R E H C R A E S E H T M M
R L A F S G M C R E L T O P O
I R N O I L H H U O V C A T T
W I G V E Z O Z C L D F S T L
M R E V I R D E R H R L B S E
E N H P O T O M I N O R E G T
```

294

```
A U S P Y T D Z R T N G Q A N
O A T P J I R S S G O D Y H N
U S E A R C H L T E K I L R N
K B N W H A F K V Z B S O M C
W U I O R C U E R A V A U W I
O F L E I J N F U R K T S A
U L E S E T R E N D I N G A E
I X M U D F A V O R I T E S G
S F I M N T I C W G T S F K D
L S T N E M E S I T R E V D A
U M M R I Z Z P E F A U J L B
A I G R R Q R U E L I F O R P
A M R P F B N O K Z P T M E O
Y M A R W T I R O E B R O K S
S T G U S B H G P T N I E N T
```

295

```
L U P S R R T O T S T W S U A
N W S H T N O R T H W O O D S
T S A N B S R F P O N D S T J
V F U L B R I D A L P A T H L
U J I M K N I R E C I E L E L
C T E Q M I E D U H U M S M I
M W U P P I N E G O S P Z A H
A R S R T Z T G R E T E K L R
G O A S T E N R T G S E A L A
S C E K A L L U O R T H F I D
B E L V E D E R E C A S T L E
Q M U T E N I P A P K C A U C
H Y L D N E W Y O R K L K E P
C P E N A T T A H N A M S S S
L I I N H P A C L A D I U P L
```

296

```
J R K P L U N K E T E R K I E
P R I C K L Y D F S S E T J R
V E T C L I K A R E P L U G
Q S E M O P B G H E L E W E N
T Z F W S O Y R N V H E R O I
I A I P A C K G A E S L G V K
K Y N Z W K R I M M V S L N S
Y W E H S E A P E Y B E E U A
W B K I H T H U E C I L S A B
L F P U A Y S H R T U T E S T
E R U K R A H S N R E T N A L
O I T G K Q G K U R S I T F T
A L K R J R U E F R I L L E D
Z L T T N R O H Y A I O X L R
R R T V R A R O R T N S L V T
```

297

```
P L Q W T K F T X U S D N E I
A T A O P T W A G M J Y O L Q
K I O X J E A T M N O G C G M
U E P I O E B E Y O N D A S K
T S L A I M O N I B T T B Z G
T F T A A O R B U F F A L O Y
M J B A S R D B E C K O N U
S R A Q U T E B U K R B P C N
D S C F E H R V S M O G Z D D
A N K J A A L W Z B P N T Q W
R G F V V S I S C G I I S Q
P S I E S N N L U W U D E P S
W O R L G R E G D A B D T S T
R Y E G L D K A A B E I K Z T
D L O B O N E L G G O B A N G
```

298

```
A T B Z A T U A O F W M A W R
U W F F R U S K I N X B V T H
A L E X A N D R I A O A A M A
N R N R A S E I N D T C T X T
T M V A O S C E L S U S I C F X
N M M J T M T E B P F I C F X
E W I O N A X S O R B M A P X
F K N S H A I T A K I E N E S
I E C S N L O N L T J T W P T
Z O F E W T K E C A U T I Y A
D E R R N L O H W N B S D S T
P X E G I E M E T I H E X H
C N G N U L E Y Z O L R N B Q
T I J O L R S B A P E S E S K
I I I C A R N E G I E X R A L
```

299

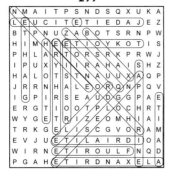

```
N M A I T P S N D S Q X U K A
L E U C I T E T I E D A J E Z
B T P N U Z A B O T S R N P W
H I M H E E T I O Y K O T I S
P H L A R T O R S R K P R W J
I P U X Y I I R A H A I S H Z
H A L O T S T N A U U X A Q P
J R R N H A L E O R Q N P Q V
I G P I R S E A U D G G P A E
E R G T I O O T P L O C H R T
W Y G E T R I Z E O M H I A I
T R K G E L I S C G V O R A M
E V J U E T I L A I R D I O A
W I R N E T I R O U L F N Q D
P G A H E T I R D N A X E L A
```

300

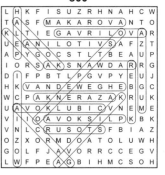

```
L H K F I S U Z R H N A H C W
T A S F M A K A R O V A N T O
K L T I E G A V R I L O V A
U E A N I L O T I V S A F Z T
A P Y G O C S T L T B E A U P
I O R S A K S N A W D A R J
D I F P B T L P G V P Y E U J
H K V A N D E W E G H E B G C
W C P A K N E R A Z A K R U K
U A V O K L U B I C V N E M E
V I I O A V O K S I L P K B K
N L C R U S O T S F B I A Z
O Z X O R M D O A T O L U W H
G O L F J A V O R R C C E G V
L W F P E A G B I H M C S O H
```

CHECK OUT THE OTHER BOOKS
IN THIS PUZZLE SERIES:

SU DOKU STYLE
WORDSEARCH STLYE